MASSES ATOMIQUES RELATIVES BASÉES SUR $^{12}C = 12,0000$

Nom	Symbole	Numéro atomique	Masse molaire	Nom	Symbole	Numéro atomique	Masse molaire
Actinium	Ac	89	227,028	Mendélévium	Md	101	(258)
Aluminium	Al	13	26,9815	Mercure	Hg	80	200,59
Américium	Am	95	(243)	Molybdène	Mo	42	95,94
Antimoine	Sb	51	121,75	Néodyme	Nd	60	144,24
Argent	Ag	47	107,868	Néon	Ne	10	20,1179
Argon	Ar	18	39,948	Neptunium	Np	93	237,048
Arsenic	As	33	74,9216	Nickel	Ni	28	58,69
Astate	At	85	(210)	Niobium	Nb	41	92,9064
Azote	N	7	14,0067	Nobélium	No	102	(259)
Baryum	Ba	56	137,33	Or	Au	79	196,967
Berkélium	Bk	97	(247)	Osmium	Os	76	190,2
Béryllium	Be	4	9,01218	Oxygène	O	8	15,9994
Bismuth	Bi	83	208,9808	Palladium	Pd	46	106,4
Bore	B	5	10,81	Phosphore	P	15	30,9738
Brome	Br	35	79,904	Platine	Pt	78	195,08
Cadmium	Cd	48	112,41	Plomb	Pb	82	207,2
Calcium	Ca	20	40,08	Plutonium	Pu	94	(244)
Californium	Cf	98	(251)	Polonium	Po	84	(209)
Carbone	C	6	12,011	Potassium	K	19	39,0983
Cérium	Ce	58	140,12	Praséodyme	Pr	59	140,908
Césium	Cs	55	132,9054	Prométhéum	Pm	61	(145)
Chlore	Cl	17	35,453	Protactinium	Pa	91	231,0359
Chrome	Cr	24	51,996	Radium	Ra	88	226,025
Cobalt	Co	27	58,9332	Radon	Rn	86	(222)
Cuivre	Cu	29	63,546	Rhénium	Re	75	186,207
Curium	Cm	96	(247)	Rhodium	Rh	45	102,906
Dysprosium	Dy	66	162,50	Rubidium	Rb	37	85,4678
Einsteinium	Es	99	(252)	Ruthénium	Ru	44	101,07
Erbium	Er	68	167,26	Samarium	Sm	62	150,36
Étain	Sn	50	118,71	Scandium	Sc	21	44,9559
Europium	Eu	63	151,96	Sélénium	Se	34	78,96
Fer	Fe	26	55,847	Silicium	Si	14	28,0855
Fermium	Fm	100	(257)	Sodium	Na	11	22,9898
Fluor	F	9	18,9984	Soufre	S	16	32,06
Francium	Fr	87	(223)	Strontium	Sr	38	87,62
Gadolinium	Gd	64	157,25	Tantale	Ta	73	180,9479
Gallium	Ga	31	69,72	Technétium	Tc	43	(98)
Germanium	Ge	32	72,59	Tellure	Te	52	127,60
Hafnium	Hf	72	178,49	Terbium	Tb	65	158,925
Hélium	He	2	4,00260	Thallium	Tl	81	204,383
Holmium	Ho	67	164,930	Thorium	Th	90	232,038
Hydrogène	H	1	1,00794	Thullium	Tm	69	168,934
Indium	In	49	114,82	Titane	Ti	22	47,88
Iode	I	53	126,905	Tungstène	W	74	183,85
Iridium	Ir	77	192,22	Uranium	U	92	238,029
Krypton	Kr	36	83,80	Vanadium	V	23	50,9415
Lanthane	La	57	138,906	Xénon	Xe	54	131,29
Lawrencium	Lr	103	(260)	Ytterbium	Yb	70	173,04
Lithium	Li	3	6,941	Yttrium	Y	39	88,9059
Lutécium	Lu	71	174,967	Zinc	Zn	30	65,39
Magnésium	Mg	12	24,305	Zirconium	Zr	40	91,224
Manganèse	Mn	25	54,9380				

Les masses atomiques qui précèdent concernent les éléments que l'on trouve dans les matériaux d'origine terrestre et certains éléments artificiels.

Les nombres entre parenthèses représentent la masse atomique de l'isotope dont la demi-vie est la plus longue.

D1457033

CHIMIE

(3e ÉDITION)

NOMENCLATURE ET STOECHIOMÉTRIE

MICHÈLE TOURNIER

Centre Educatif et Culturel inc.

8101, Boul. Métropolitain, Montréal (Québec) H1J 1J9 Tél.: (514) 351-6010

Remerciements

Je tiens à exprimer de très sincères remerciements à tous mes collègues du département de chimie du collège de Maisonneuve pour l'aide précieuse qu'ils m'ont procurée, et surtout pour le soutien moral qu'ils m'ont sans cesse apporté. Je suis tout particulièrement reconnaissante envers Jean-Louis CHARBONNEAU qui, avec une inlassable patience, a bien voulu me faire bénéficier de son savoir et de son expérience, et a également relu le manuscrit avec beaucoup d'attention. Je remercie aussi chaleureusement Marcelle SERVANT, professeure au collège Ahuntsic, pour ses suggestions, ses conseils et ses critiques, qui m'ont beaucoup aidée à élaborer la présentation et le contenu de cette série de modules.

Michèle Tournier

101 310 47
(7-87, 2-89, 8-90, 8-92, 7-93)

3e édition
© 1986, **Centre Éducatif et Culturel inc.**
8101, boul. Métropolitain est
Montréal (Québec) H1J 1J9
Tous droits réservés.

Dépôt légal : 2e trimestre 1986
Bibliothèque nationale du Québec
Bibliothèque nationale du Canada

Il est interdit de reproduire, d'adapter
ou de traduire tout ou partie de cet ouvrage
sans l'autorisation écrite du propriétaire
du copyright.

ISBN 2-76170340-5
Imprimé au Canada

Table des matières

Avant-propos

Ce module est le premier d'un ensemble pédagogique, publié en plusieurs étapes, et destiné à l'enseignement de la chimie inorganique et de la chimie physique au niveau collégial. Cet ensemble pédagogique couvrira le contenu du cours de Chimie générale et le contenu du cours de Chimie des solutions. Il comprendra au total dix modules, soit cinq modules pour le cours de Chimie générale et cinq modules pour le cours de Chimie des solutions. Les cinq modules prévus pour le cours de Chimie générale sont les suivants:

1. *Nomenclature et stœchiométrie*
2. *Structure de l'atome et périodicité*
3. *Liaison chimique*
4. *Métaux et non-métaux*
5. *Chimie nucléaire*

Cette présentation sous forme de modules, le plus possible indépendants les uns des autres, a été adoptée pour la souplesse qu'elle offre, tant aux professeur(e)s qu'aux étudiant(e)s. Les modules **1** et **5** sont complètement autonomes, tandis que les modules **2**, **3** et **4** forment une suite logique. Il n'est toutefois pas indispensable d'avoir couvert au complet le contenu du module **2** pour comprendre celui du module **3**, de même qu'il n'est pas indispensable d'avoir couvert au complet le contenu des modules **2** et **3** pour comprendre celui du module **4**. Une présentation relativement succincte des configurations électroniques et des propriétés périodiques des éléments pourrait permettre à l'étudiant(e) d'aborder directement le module **3**, et pour le module **4**, il faudrait ajouter un survol rapide des différents types de liaisons chimiques.

Outre l'objectif fondamental, qui est celui de traiter le contenu du cours de Chimie générale, les objectifs plus particuliers qui ont guidé l'élaboration de ces modules sont les suivants :

1. Inciter les étudiant(e)s à lire le texte

Pour atteindre cet objectif, on s'est tout d'abord efforcé d'employer un style accessible, et d'indiquer toutes les étapes du cheminement de pensée qui conduit à la compréhension d'un concept ou d'un phénomène donné. Mais surtout, on a ajouté délibérément, à la fin de chaque chapitre ou de chaque module, un grand nombre de questions dont la réponse est donnée *mot-à-mot* dans le texte : cela devrait constituer un guide d'apprentissage susceptible d'amener l'étudiant(e) à faire une lecture complète du texte, même s'il (si elle) a commencé à répondre aux questions et exercices sans avoir lu ou étudié au préalable.

2. Fournir aux étudiant(e)s le moyen de combler leurs lacunes

Une partie importante du contenu du 1er module constitue un retour sur les principales notions qui sont censées avoir été acquises au niveau secondaire (ex : formule chimique, équation chimique, mole, stœchiométrie, etc.).

3. Permettre aux étudiant(e)s de s'auto-évaluer

Grâce aux longues séries de questions et exercices, dont les réponses se trouvent à la fin de chaque module, les étudiant(e)s devraient être en mesure de vérifier :

— leur acquisition et leur compréhension des connaissances ;
— leur capacité d'appliquer ces connaissances ;
— leur capacité de mettre en relation plusieurs connaissances et de faire les synthèses auxquelles on peut s'attendre à ce niveau.

4. Faire le lien entre la théorie et la pratique

Grâce à de nombreux exemples concrets (problèmes de pollution, sources d'énergie chimique, produits d'usage domestique, préparations industrielles importantes, propriétés de divers matériaux, présence des divers éléments à l'état naturel, etc.), les étudiant(e)s devraient être à même de prendre conscience des nombreuses applications de la chimie dans la vie de tous les jours, ainsi que de l'apport essentiel de la chimie à la compréhension du monde qui nous environne.

5. Illustrer la démarche scientifique

En présentant les principales étapes du cheminement scientifique qui a conduit à la conception actuelle de l'atome, on s'est efforcé de montrer comment l'observation des faits peut suggérer une hypothèse, laquelle mérite ensuite le titre de théorie si elle est corroborée par d'autres résultats. Par ailleurs, on a souligné le fait qu'une théorie scientifique ne peut jamais être définitive, puisqu'elle n'est jamais à l'abri de nouvelles observations expérimentales susceptibles de la contredire : à cet égard, on a expliqué comment les progrès technologiques, en permettant de faire des observations de plus en plus précises, ont une influence déterminante sur l'évolution des théories scientifiques.

6. Fournir des compléments aux plus intéressé(e)s

Pour répondre aux goûts et aux attentes diversifiés des étudiant(e)s, de nombreux compléments ont été ajoutés en marge, ou intercalés en petits caractères dans le texte principal. Selon le cas, ces compléments peuvent avoir pour objet une application pratique, une anecdote historique, ou encore un approfondissement théorique. Compte tenu de leur présentation typographique différente, ils ne devraient pas gêner la lecture de ceux (celles) qui préfèrent s'en tenir à l'essentiel, tout en fournissant à d'autres la possibilité d'en savoir un peu plus, sans avoir pour cela à consulter un texte d'accès plus difficile.

Le présent module commence par un chapitre d'introduction où l'on effectue un retour sur un certain nombre de notions qui ont été vues au niveau secondaire, et qui sont indispensables à la compréhension des cours des niveaux subséquents. Dans le deuxième chapitre, on présente les règles de nomenclature des composés inorganiques : il s'agit des règles définitives de 1970, établies par la Commission de nomenclature de chimie inorganique de l'Union internationale de chimie pure et appliquée (IUPAC). Le troisième et dernier chapitre est consacré à la stœchiométrie, traitée à l'aide d'un certain nombre d'exemples comportant des difficultés de types différents. Pour rendre plus attrayant ce sujet important, que les étudiant(e)s jugent souvent fastidieux, on a choisi systématiquement des réactions faisant l'objet d'applications pratiques mentionnées dans le texte ; de plus, un grand nombre de ces réactions peuvent facilement être réalisées par les étudiant(e)s au laboratoire.

<h1 style="text-align:right">Introduction **1**</h1>

1. Rappels et généralités

1.1. Structure nucléaire de l'atome

Depuis bien des années, tous les chimistes admettent que la matière est constituée de particules extrêmement petites appelées **atomes**. Bien qu'ils soient infiniment petits par rapport aux objets que nous manipulons quotidiennement, les atomes sont des systèmes complexes. Ils sont formés d'un noyau très petit, entouré d'un nuage de charges négatives appelées **électrons** (figure 1.1). Comparé au volume total d'un atome, le volume occupé par son noyau est tout à fait négligeable [1]. Malgré cela, le noyau est lui-même composé de **protons** (chargés positivement) et de **neutrons** (non chargés) : les protons et les neutrons sont aussi appelés **nucléons** du fait que ce sont les particules constituant le noyau. Mis à part quelques exceptions, le noyau contient en général un nombre de neutrons plus élevé que le nombre de protons. Par contre, pour assurer la neutralité électrique de l'atome, le nombre d'électrons situés autour du noyau est égal au nombre de protons contenus dans le noyau, car ces deux particules ont des **charges égales en valeur absolue et de signes contraires.**

La valeur absolue de la charge portée par le proton et par l'électron est appelée **charge élémentaire** d'électricité, parce qu'il s'agit de la plus petite charge électrique que l'on ait pu mesurer jusqu'à maintenant. Cette charge, habituellement désignée par $|e|$, égale $1,6 \times 10^{-19}$C (tableau 1.1). Par ailleurs, le proton et le neutron ont des masses à peu près égales, tandis que la masse de l'électron est beaucoup plus petite. Plus précisément, la masse d'un électron est à peu près 1830 fois plus petite que celle d'un nucléon. C'est donc dire que la masse et le volume sont très inégalement répartis entre les particules constituant l'atome : **les électrons qui occupent la quasi-totalité du volume ont une masse presque nulle**, tandis que **les nucléons qui renferment la quasi-totalité de la masse ont un volume presque nul.**

1.2. Classification périodique des éléments

Les atomes que l'on connaît ne sont pas tous identiques : ils se distinguent les uns des autres par le nombre de leurs protons et par le

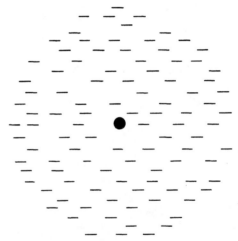

FIGURE 1.1

Structure nucléaire de l'atome : noyau très petit et extrêmement dense entouré d'un nuage d'électrons.

1. **Remarque** : Le volume du noyau de l'atome est environ mille milliards de fois (10^{12} fois) plus petit que le volume de l'atome lui-même.

particule sub-atomique	masse (kg)	charge (C)
électron	$9,110 \times 10^{-31}$	$-1,60 \times 10^{-19}$
proton	$1,673 \times 10^{-27}$	$+1,60 \times 10^{-19}$
neutron	$1,675 \times 10^{-27}$	0

TABLEAU 1.1

nombre de leurs neutrons. Le nombre de protons, appelé **numéro atomique**, et habituellement désigné par la lettre **Z**, est sans doute la caractéristique la plus importante d'un atome, car tous les atomes qui renferment le même nombre de protons possèdent les mêmes propriétés chimiques. En fait, tous les atomes qui possèdent le même nombre de protons sont des atomes d'un même **élément**; par exemple, tous les atomes qui possèdent 11 protons sont des atomes de l'élément sodium, tous les atomes qui possèdent 26 protons sont des atomes de l'élément fer, etc. Pour faciliter l'écriture des formules et des équations chimiques, les chimistes désignent chacun des éléments à l'aide d'un **symbole**; ainsi, l'élément **sodium** a pour symbole **Na**, l'élément **fer** a pour symbole **Fe**, etc. Les symboles de tous les éléments connus à ce jour sont réunis dans un tableau, appelé « **classification périodique des éléments** », dans lequel ils sont placés par ordre de **numéro atomique croissant** (voir page couverture). Cette classification est dite « périodique » parce qu'elle permet de mettre en évidence la **périodicité** des propriétés des éléments. L'étude des divers éléments, un à un, a montré en effet qu'il existe des groupes ou familles d'éléments dont les propriétés se ressemblent beaucoup. C'est notamment le cas pour le fluor (F), le chlore (Cl), le brome (Br) et l'iode (I) qui constituent la famille des **halogènes**: dans la classification périodique, ces quatre éléments sont placés les uns en-dessous des autres dans une même colonne. De façon générale, les éléments d'une même **colonne** de la classification forment un **groupe** ou **famille chimique** parce que leurs propriétés sont semblables. Par conséquent, lorsqu'on parcourt la classification, ligne après ligne, dans le sens des numéros atomiques croissants, on retrouve à chaque ligne un élément dont les propriétés sont semblables à celles de l'élément qui est situé au-dessus de lui dans la ligne précédente: c'est la raison pour laquelle une ligne horizontale de la classification s'appelle une **période**.

Le grand intérêt de la classification périodique est dû au fait qu'il existe un **lien très étroit entre les propriétés d'un élément donné et la position qu'il occupe dans la classification**. Par exemple, le potassium (K), situé dans la colonne la plus à gauche, est un élément qui ne possède qu'un seul **électron de valence**, c'est-à-dire un seul électron plus éloigné du noyau que tous les autres. Comme le noyau du potassium retient peu cet électron de valence, un atome de potassium se transforme très facilement en **ion** potassium (K^+) par suite de la perte de cet électron. Le calcium (Ca), situé immédiatement à droite du potassium, possède quant à lui deux électrons de valence[2], c'est-à-dire deux électrons faiblement retenus par le noyau: c'est la raison pour laquelle un atome de calcium se transforme très facilement en ion Ca^{2+} par suite de la perte de deux électrons. Contrairement aux éléments de la gauche de la classification qui libèrent facilement leur(s) électron(s) de valence, les éléments de la droite de la classification les retiennent solidement et ont même souvent tendance à capter des électrons supplémentaires. Par exemple, le chlore (Cl) est avide d'électrons et tend à se transformer en ion Cl^- en captant un électron. Cela lui est notamment possible lorsqu'il se trouve en présence du potassium qui libère facilement son électron de valence: le transfert d'un électron du potassium au chlore conduit à la formation du composé chimique KCl constitué d'un assemblage[3] d'ions K^+ et d'ions Cl^-. Si par contre le chlore est mis en présence du calcium, c'est le composé $CaCl_2$ qui se forme, parce qu'il faut deux atomes de chlore pour capter les deux

2. Remarque: Nous verrons plus tard, en étudiant la structure électronique (disposition des électrons autour du noyau), comment il est possible de prédire le nombre d'électrons de valence de chacun des éléments. On notera tout de même que **le nombre d'électrons de valence est le même que le numéro du groupe inscrit en chiffres romains au-dessus de chacune des colonnes de la classification**. Ce numéro de groupe est accompagné de la lettre A ou de la lettre B parce que le même numéro de groupe se retrouve deux fois: par exemple, il existe un **groupe IIA et un groupe IIB**. L'étude de la structure électronique des atomes nous permettra également de comprendre pourquoi, à partir de la 4e période, le même numéro de groupe, c'est-à-dire le même nombre d'électrons de valence, se retrouve deux fois.

3. Remarque: Comme il est constitué d'ions, le composé KCl est qualifié de **composé ionique**. Par ailleurs, la liaison qui unit le potassium et le chlore dans ce composé est appelée **liaison ionique**: cette liaison résulte simplement de l'attraction électrique qui s'exerce entre ions K^+ et ions Cl^- du fait que leurs charges électriques sont de signes opposés.

électrons libérés par un atome de calcium. Le fluor, qui appartient à la même famille que le chlore, forme avec le potassium et le calcium des composés tout à fait analogues aux précédents de formules KF et CaF_2. On pourrait continuer ainsi à montrer à l'aide d'exemples que la position d'un élément dans la classification périodique nous permet de faire bien des prédictions quant à ses propriétés. On se contentera de retenir pour l'instant que **le nombre d'électrons périphériques (ou électrons de valence) d'un élément détermine en grande partie son comportement chimique, car ce sont ces électrons qui interviennent lors des transformations chimiques**. Nous verrons par la suite, en étudiant les configurations électroniques des éléments, que le nombre d'électrons périphériques dépend du nombre total d'électrons, lequel est égal au nombre de protons. C'est ce qui explique que la position occupée par un élément dans la classification périodique puisse fournir un grand nombre d'indications sur ses propriétés.

1.3. Isotopes d'un élément

Si tous les atomes d'un même élément possèdent par définition le même nombre de protons, tous ne possèdent pas le même nombre de neutrons: on appelle **isotopes**, les atomes d'un même élément qui diffèrent par le nombre de leurs neutrons. Ainsi, on connaît plusieurs isotopes de l'oxygène, c'est-à-dire plusieurs sortes d'atomes d'oxygène: tous ces atomes contiennent 8 protons, puisqu'il s'agit de l'élément oxygène, mais ils peuvent contenir par exemple 6, 7, 8, 9, 10, 11 ou 12 neutrons. Pour distinguer les isotopes les uns des autres, on écrit le symbole de l'élément accompagné du **nombre de masse** (somme du nombre de protons et du nombre de neutrons) en indice supérieur gauche. Ainsi, le fait d'écrire

$$^{18}O$$

permet de désigner la sorte d'atomes d'oxygène dont le noyau renferme **18 nucléons**, c'est-à-dire 8 protons et 10 neutrons.

Tous les isotopes d'un même élément possèdent les mêmes propriétés chimiques, puisqu'ils possèdent le même nombre de protons et donc le même nombre d'électrons. Par contre, **leurs propriétés nucléaires** (propriétés de leurs noyaux) **diffèrent**. Ainsi, les trois isotopes ^{16}O, ^{17}O et ^{18}O sont présents dans la nature parce que leur noyau est stable, c'est-à-dire qu'il ne se transforme pas spontanément. Au contraire, les isotopes ^{13}O, ^{14}O, ^{15}O, ^{19}O et ^{20}O ne sont pas présents dans la nature parce que leur noyau est instable, c'est-à-dire qu'il se transforme spontanément par **radioactivité**[4]: très peu de temps après leur formation, de tels isotopes subissent ce que l'on appelle une **désintégration radioactive**. Même s'ils ont existé, comme on le pense, au moment de la formation de la Terre, les isotopes instables ont presque tous disparu en raison de leur radioactivité. Il en reste cependant quelques-uns, comme l'isotope 40 du potassium (^{40}K) ou encore les isotopes 235 et 238 de l'uranium (^{235}U et ^{238}U). La présence de ces isotopes sur la Terre est due au fait que la désintégration de leur noyau est particulièrement lente. La rapidité avec laquelle les noyaux se désintègrent dépend en effet de leur degré d'instabilité: les noyaux très instables se désintègrent très rapidement, mais les noyaux peu instables se désintègrent lentement. Pour exprimer la rapidité avec laquelle les noyaux instables se désintègrent, on se sert du concept de **vie moyenne**: la vie moyenne

4. **Remarque**: On peut définir la radioactivité comme étant la propriété qu'ont certains isotopes de se transformer spontanément par suite de l'émission d'un **rayonnement issu de leur noyau**. Les trois types de radioactivité les plus courants sont:

— la **radioactivité α** qui se traduit par l'émission de **noyaux d'hélium** ou *particules α*;
— la **radioactivité β⁻** qui se traduit par l'émission d'**électrons**;
— la **radioactivité β⁺** qui se traduit par l'émission de **positrons**, qui sont en fait des électrons de charge positive (c'est-à-dire des **anti-électrons**).

Par exemple, l'isotope ^{19}O est radioactif β⁻, ce qui veut dire que son noyau a la propriété d'émettre un électron. L'émission de cet électron résulte en fait de la transformation d'un neutron en proton car, par rapport aux isotopes stables de l'oxygène (^{16}O, ^{17}O, ^{18}O), l'isotope ^{19}O renferme un excès de neutrons. Après l'émission d'un électron, le noyau de l'*ex-isotope* ^{19}O renferme un neutron de moins et un proton de plus: ce n'est donc plus un noyau d'oxygène, mais un noyau de fluor, puisqu'il possède désormais 9 protons. On symbolise une telle transformation à l'aide de l'équation suivante, où l'on indique le nombre de masse en indice supérieur gauche, et le nombre de protons en indice inférieur gauche (on notera que le nombre de masse est conservé):

$$^{19}_{8}O \rightarrow ^{19}_{9}F + ^{0}_{-1}e$$

La radioactivité β⁺ est un phénomène en quelque sorte symétrique de la radioactivité β⁻, puisqu'elle résulte de la transformation d'un proton en un neutron. Alors que **la radioactivité β⁻ est caractéristique des isotopes excédentaires en neutrons** (nombre de masse plus grand que celui des isotopes stables du même élément), **la radioactivité β⁺ est caractéristique des isotopes déficitaires en neutrons** (nombre de masse plus petit que celui des isotopes stables du même élément). Par exemple, l'isotope ^{15}O est radioactif β⁺, car il renferme moins de neutrons que les isotopes stables de l'oxygène. Il se transforme en ^{15}N en émettant un positron, puisque son nombre de protons diminue d'une unité:

$$^{15}_{8}O \rightarrow ^{15}_{7}N + ^{0}_{+1}e$$

La radioactivité α, quant à elle, ne se manifeste, dans la grande majorité des cas, que pour les éléments lourds, à peu près à partir du bismuth ($Z = 83$). Lorsqu'un isotope est radioactif α, son noyau perd deux protons et deux neutrons (noyau d'hélium) lors de l'émission de la particule: il se transforme donc en un nouvel élément dont le numéro atomique est inférieur de deux unités à celui de l'élément initial. Par exemple, l'isotope 226 du radium (^{226}Ra), découvert par Pierre et Marie Curie en 1898, est radioactif α ; il se transforme donc en l'isotope 222 du radon (^{222}Rn) lorsqu'il se désintègre :

$$^{226}_{88}\text{Ra} \longrightarrow \ ^{222}_{86}\text{Rn} + ^4_2\alpha$$

5. **Remarque** : C'est Rutherford qui réalisa la première réaction nucléaire en 1919, en bombardant de l'azote par des particules α (ces dernières lui étaient précisément fournies par l'isotope ^{226}Ra). Le noyau de l'isotope ^{14}N fut transformé en noyau de l'isotope ^{17}O et il y eut émission d'un proton : cette première réaction nucléaire permit ainsi à Rutherford de faire en même temps la **découverte du proton**. L'équation qui permet de symboliser cette équation s'écrit ainsi :

$$^{14}_7\text{N} + ^4_2\alpha \longrightarrow \ ^{17}_8\text{O} + ^1_1\text{p}$$

On notera que le nombre total de nucléons des produits est égal au nombre total de nucléons des réactifs.

Il se trouve que l'isotope formé lors de la réaction nucléaire précédente est un isotope stable de l'oxygène (^{17}O) : c'est pour cette raison que la découverte du premier isotope artificiel ne s'est pas faite à ce moment-là. Quinze ans après la réalisation de la première réaction nucléaire par Rutherford, soit en 1934, Irène Curie (fille de Marie Curie) et son mari Frédéric Joliot fabriquèrent les premiers isotopes artificiels en bombardant des cibles de bore, de magnésium et d'aluminium à l'aide de particules α. Avec l'aluminium, la réaction nucléaire produite est la suivante :

$$^{27}_{13}\text{Al} + ^4_2\alpha \longrightarrow \ ^{30}_{15}\text{P} + ^1_0\text{n}$$

L'isotope ^{30}P est un isotope artificiel, car le phosphore ne possède qu'un seul isotope stable, ^{31}P. Comme il est déficitaire en neutrons par rapport à l'unique isotope stable ^{31}P, l'isotope ^{30}P est donc radioactif β$^+$. L'équation qui symbolise sa désintégration est la suivante :

$$^{30}_{15}\text{P} \longrightarrow \ ^{30}_{14}\text{Si} + ^0_{+1}\text{e}$$

On dit habituellement que Frédéric Joliot et Irène Curie ont découvert la **radioactivité artificielle** en 1934, parce qu'ils ont produit des isotopes radioactifs ne se trouvant pas dans la nature. Ils ont en même temps découvert le **positron** ($^0_{+1}$e), qui était resté inconnu jusquelà, ce qui s'explique par le fait que l'on ne connaît pas d'isotope naturel radioactif β$^+$

6. **Remarque** : Deux raisons expliquent qu'il existe dans la nature des isotopes radioactifs des éléments de numéros atomiques compris entre 84 et 92. La première est que certains de

d'un isotope instable représente le temps que vivront en moyenne les noyaux de cet isotope. Par exemple, la vie moyenne de l'isotope ^{15}O est de 122 secondes, tandis que celle de l'isotope ^{40}K est de $1,28 \times 10^9$ années ; cela fait un écart considérable, et c'est précisément cet écart qui explique qu'il ne reste plus de ^{15}O sur la Terre, mais qu'il reste encore du ^{40}K. On estime en effet l'âge de la Terre à environ 3×10^9 années : par conséquent, les isotopes dont la vie moyenne est de l'ordre de 10^9 années (ou plus) sont encore présents sur la Terre, tout simplement parce qu'ils n'ont pas encore fini de se désintégrer.

On appelle **isotopes naturels** les isotopes présents dans la nature, et **isotopes artificiels** ceux qui ne s'y trouvent pas. Ces derniers sont fabriqués à l'aide de **réactions nucléaires** qui sont des réactions au cours desquelles un noyau se transforme après avoir été bombardé par une particule (proton, neutron, noyau d'hélium, électron, etc.) accélérée ou non [5]. Jusqu'à l'uranium de numéro atomique 92, presque tous les éléments possèdent des isotopes naturels : seuls le *technétium* ($Z = 43$) et le *prométhéum* ($Z = 61$) ne sont pas présents dans la nature, ce qui signifie que tous leurs isotopes ont été produits artificiellement. À partir de $Z = 93$, tous les isotopes des éléments connus à ce jour sont artificiels ; cela explique d'ailleurs que la classification périodique s'allonge peu à peu, au fur et à mesure que l'on découvre de nouveaux éléments, grâce à des réactions nucléaires qui n'avaient pas été réalisées auparavant. De plus, tous les isotopes naturels des éléments de numéro atomique compris entre 84 (Po) et 92 (U) sont radioactifs [6]. Cela tend à prouver qu'à partir d'un certain nombre de protons, la stabilité du noyau n'est plus possible à cause de la répulsion entre les protons. Soulignons d'ailleurs que, de façon générale, le nombre de neutrons s'accroît plus vite que le nombre de protons ; ainsi, les petits noyaux stables possèdent un nombre de neutrons à peu près égal au nombre de protons, tandis que les gros noyaux stables (ou peu instables) possèdent toujours un nombre de neutrons nettement supérieur au nombre de protons ; par exemple, l'isotope 12 du carbone (^{12}C) possède 6 protons et 6 neutrons, tandis que l'isotope 235 de l'uranium (^{235}U) possède 92 protons et 143 neutrons. Il semblerait donc que, lorsque le numéro atomique augmente, un nombre de neutrons de plus en plus grand devient nécessaire pour « diluer » en quelque sorte les protons et atténuer ainsi leur répulsion.

1.4. Corps simple, corps composé et mélange

En général, les atomes ne restent pas séparés les uns des autres, mais s'associent au contraire pour former des **molécules** qui sont en fait les entités de base dont est constituée la matière. Comme les atomes ont bien des manières différentes de s'associer, il existe une variété impressionnante de molécules différentes et, par le fait même, une variété impressionnante de substances différentes. Les chimistes distinguent ces dernières les unes des autres à l'aide d'une **formule chimique**, dans laquelle ils font apparaître le symbole et le nombre de chacun des atomes entrant dans la composition de la molécule dont la substance est formée. Par exemple, H_2 est la formule chimique d'une substance formée de molécules résultant de l'association de deux atomes d'hydrogène ; HCl est la formule chimique d'une substance formée de molécules résultant de l'association d'un atome d'hydrogène et d'un atome de chlore ; H_2SO_4 est la formule chimique d'une substance résultant de l'association de deux atomes d'hydrogène, d'un atome de soufre et de quatre atomes d'oxygène. Voici d'autres exemples de formules chimiques : O_2, O_3, N_2, Cl_2, S_8, P_4, HNO_3, C_4H_{10}, $C_6H_5NO_2$. On notera que H_2, O_2, N_2, Cl_2 et HCl sont des formules chimiques de substances constituées de molécules **diatomiques**, tandis que O_3, S_8, P_4, HNO_3, H_2SO_4, C_4H_{10} et $C_6H_5NO_2$ sont des formules chimiques de substances constituées de molécules **polyatomiques**. Par ailleurs, les formules H_2, O_2, O_3, N_2, Cl_2, S_8 et P_4 représentent des substances formées de molécules qui résultent de l'union d'atomes d'un même élément : de telles substances, formées à partir d'un seul élément, sont appelées **corps simples** ou **corps élémentaires**[7]. Au contraire, les formules HCl, HNO_3, H_2SO_4, C_4H_{10} et $C_6H_5NO_2$ représentent des substances appelées **corps composés** ou **composés chimiques**, précisément parce qu'elles sont formées à partir de deux ou plusieurs éléments[8].

Quelle que soit son origine, ou son mode de production, un composé chimique donné a toujours une **composition invariable**. Par exemple, dans 100 g de H_2O, il y a toujours 11,2 g d'hydrogène pour 88,8 g d'oxygène ; dans 100 g de HCl, il y a toujours 2,7 g d'hydrogène pour 93,7 g de chlore ; dans 100 g de H_2SO_4, il y a toujours 2,1 g d'hydrogène pour 32,7 g de soufre et 65,2 g d'oxygène. Il s'agit là d'une **caractéristique fondamentale qui distingue les composés chimiques des mélanges**. Ces derniers résultent en effet d'une simple juxtaposition de deux ou plusieurs espèces chimiques (qui peuvent être des corps simples ou des corps composés) réunies selon des proportions variables. Par exemple, l'eau salée des mers et des océans est un mélange constitué d'eau et de plusieurs sels tels que $NaCl$, $MgCl_2$, etc. La concentration de ces derniers n'est pas la même aux divers endroits du globe terrestre où l'on trouve de l'eau salée : ainsi, les eaux de la mer Noire ou de la Méditérannée sont plus salées que celles de l'Atlantique par exemple. De même, le pétrole est un mélange constitué d'une très grande variété d'**hydrocarbures**, qui sont des substances résultant de la combinaison du carbone et de l'hydrogène[9]. Voici entre autres la formule chimique de quelques hydrocarbures présents dans le pétrole : CH_4, C_4H_{10}, C_5H_{12}, C_6H_{12}, C_8H_{10}, $C_{10}H_{22}$, $C_{15}H_{32}$, etc. Le pétrole d'Alberta et le pétrole d'Arabie Saoudite, par exemple, ne renferment certainement pas la même proportion de chacun de ces hydrocarbures. Par contre, le butane (C_4H_{10}) que l'on peut extraire du pétrole d'Alberta et celui que l'on peut extraire du pétrole d'Arabie Saoudite ont à coup sûr la même composition, soit 17,3 g d'hydrogène pour 82,7 g de carbone.

La composition invariable des composés chimiques est l'un des principaux arguments qui a conduit à admettre que la matière est formée d'atomes. Si l'on considère l'atome comme un tout qui ne se morcelle pas (sauf lors des réactions nucléaires), on en conclut qu'une molécule donnée, qui résulte d'une combinaison particulière d'atomes, a nécessairement une composition fixe. Par exemple, la molécule H_2O, qui résulte de la combinaison de deux atomes d'hydrogène et d'un atome d'oxygène, renfermera les mêmes masses respectives d'hydrogène et d'oxygène, dans la mesure où il n'existe pas de « morceaux » d'hydrogène ni de « morceaux » d'oxygène de tailles variables. Il est normal, dans ces conditions, que la décomposition de l'eau (composé chimique formé de molécules H_2O) en ses éléments conduise toujours à des proportions invariables d'hydrogène et d'oxygène.

ces isotopes ont une vie moyenne de l'ordre de grandeur de l'âge de la Terre : c'est le cas pour le **thorium** ($Z = 90$) et pour l'**uranium** ($Z = 92$). La seconde est que les isotopes instables de vie moyenne très longue génèrent constamment, en se désintégrant, de nouveaux isotopes qui peuvent être des isotopes stables ou des isotopes instables : c'est ce que l'on appelle la **filiation radioactive**. Par exemple, l'isotope 235 de l'uranium, de vie moyenne égale à $7,04 \times 10^8$ années, est radioactif α et génère donc l'isotope 231 du thorium en se désintégrant. Ce dernier est radioactif β^- et génère en se désintégrant l'isotope 231 du protactinium (Pa), d'où la présence de ce dernier dans la nature. Les équations symbolisant ces désintégrations sont les suivantes :

$$^{235}_{92}U \longrightarrow \ ^{231}_{90}Th + \ ^{4}_{2}\alpha$$

$$^{231}_{90}Th \longrightarrow \ ^{231}_{91}Pa + \ ^{0}_{-1}e$$

L'isotope ^{231}Pa est radioactif α et engendre à son tour l'isotope 227 de l'actinium :

$$^{231}_{91}Pa \longrightarrow \ ^{227}_{89}Ac + \ ^{4}_{2}\alpha$$

Les désintégrations successives se poursuivent ainsi jusqu'à ce que l'on aboutisse finalement à un isotope stable.

Soulignons au passage que l'isotope ^{226}Ra, de vie moyenne égale à 1600 ans, est présent dans la nature parce qu'il **descend** (à la suite de cinq désintégrations successives) de l'isotope ^{238}U, lui-même présent dans la nature parce que sa vie moyenne est de $4,47 \times 10^9$ années.

7. **Remarques** :
a) On notera que les molécules qui constituent les corps simples peuvent être diatomiques (comme H_2, O_2, N_2, Cl_2) ou polyatomiques (comme O_3, S_8, P_4).
b) Bien qu'ils soient constitués du même élément oxygène, O_2 et O_3 sont des corps simples distincts, car ces deux molécules ont des propriétés bien différentes.
c) Il existe aussi des corps simples constitués d'atomes qui ne sont pas regroupés entre eux pour former des molécules. C'est le cas par exemple des gaz nobles (Ne, Ar, etc.).

8. **Remarque** : Il existe aussi des composés chimiques qui ne sont pas véritablement formés de molécules, mais d'un empilement d'ions positifs et d'ions négatifs ; par exemple, le solide $NaCl$ n'est pas formé de molécules $NaCl$, mais d'ions Na^+ et Cl^-, alternant les uns avec les autres selon un arrangement très régulier.

9. **Remarque** : Nous aurons l'occasion de voir plus loin qu'il existe une immense variété de

composés chimiques à base de carbone. Parmi ces composés, il y a notamment les **hydrocarbures** qui sont constitués exclusivement de carbone et d'hydrogène. Les hydrocarbures contenus dans le pétrole contiennent de 1 à 50 atomes de carbone environ, mais cela représente un très grand nombre de composés différents car, pour un nombre donné d'atomes, il y a de nombreuses possibilités différentes d'agencement des atomes.

1.5. Réaction chimique

Lorsqu'on met en contact deux substances différentes, les molécules qui constituent ces deux substances ont la possibilité de se rencontrer, et il peut alors se produire une réorganisation des atomes, c'est-à-dire une **réaction chimique**. Par exemple, lorsqu'on mélange du dihydrogène H_2 et du dichlore Cl_2, ils se combinent pour former du chlorure d'hydrogène HCl. Il s'agit là d'une réaction chimique que l'on peut symboliser à l'aide de l'équation chimique suivante:

$$H_2 + Cl_2 \longrightarrow 2\ HCl$$

H_2 et Cl_2 écrits à gauche du signe $\longrightarrow$ sont les **réactifs**, tandis que HCl écrit à droite du signe $\longrightarrow$ est le **produit** de la réaction. On peut donc dire qu'une réaction chimique est une transformation au cours de laquelle des réactifs disparaissent tout en donnant naissance à des produits. Au niveau des atomes, une réaction chimique n'est rien d'autre qu'un **réarrangement d'atomes.** On retrouve dans les produits les mêmes atomes que l'on avait dans les réactifs, mais leur agencement est différent (figure 1.2). L'agencement des atomes a toutefois une très grande importance car, lorsque cet agencement change, les molécules ne sont plus les mêmes, et c'est pour cette raison que les produits sont des substances différentes des réactifs, même s'ils sont formés des mêmes atomes.

Pour être écrite correctement, une équation chimique doit être **équilibrée**, c'est-à-dire que l'on doit retrouver le même nombre d'atomes de chaque élément, tant parmi les réactifs que parmi les produits: cela est normal puisqu'une réaction chimique est un réarrangement d'atomes et que ces derniers conservent leur individualité au cours de la transformation. Pour équilibrer une équation chimique, on inscrit un **coefficient** approprié devant la formule chimique de chacun des réactifs et de chacun des produits. Lorsqu'il s'agit du coefficient 1, on omet en général de l'écrire.

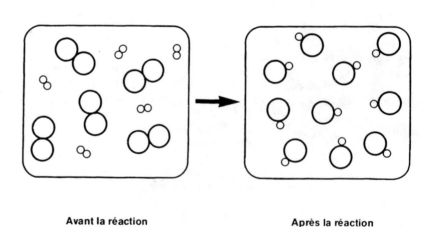

Avant la réaction
Réactifs
$H_2 + Cl_2$

Après la réaction
Produit
HCl

FIGURE 1.2

Il ne se produit pas toujours une réaction chimique lorsque deux substances différentes sont mises en présence l'une de l'autre. Ainsi, O_2 et N_2 ne réagissent pas ensemble aux conditions ambiantes, même s'ils sont constamment en présence l'un de l'autre, puisque ce sont les deux principaux constituants de l'air. Toutefois, s'ils sont portés à très haute température, O_2 et N_2 peuvent réagir un peu l'un avec l'autre et former l'oxyde NO qui est une substance très nocive [10]. L'équation de la réaction est la suivante :

$$N_2 + O_2 \rightarrow 2\,NO$$

Deux réactifs ne sont pas toujours nécessaires pour qu'une réaction chimique se produise. Il y a en effet des substances chimiques instables qui se décomposent spontanément : il s'agit là aussi d'une réaction chimique, puisque les produits formés sont différents du réactif qui disparaît. Par exemple, le composé $KClO_3$ se décompose spontanément en libérant du dioxygène O_2 comme l'indique l'équation chimique suivante [11] :

$$2\,KClO_3 \rightarrow 2\,KCl + 3\,O_2$$

De même, la nitroglycérine [12] $C_3H_5N_3O_9$ se décompose sous l'action des chocs et de la chaleur selon l'équation chimique suivante :

$$4\,C_3H_5N_3O_{9(s)} \rightarrow 6\,N_{2(g)} + 12\,CO_{2(g)} + O_{2(g)} + 10\,H_2O_{(g)}$$

Le caractère hautement explosif de la nitroglycérine est dû au fait que sa décomposition libère une quantité considérable de gaz : il s'ensuit une brusque augmentation de la pression qui provoque l'explosion.

Il existe, comme on le sait, des réactions chimiques qui dégagent de l'énergie et d'autres qui en absorbent : celles qui dégagent de l'énergie sont dites **exothermiques** et celles qui en absorbent sont dites **endothermiques**. Parmi les réactions exothermiques, les réactions de **combustion** [13], que l'on exploite pour produire de l'**énergie chimique**, sont d'un grand intérêt pratique. À l'heure actuelle, il s'agit le plus souvent de réactions au cours desquelles un *hydrocarbure* (fourni par le pétrole ou le gaz naturel) se combine au dioxygène O_2 de l'air. Précisons tout d'abord que le pétrole est un mélange d'hydrocarbures si hétérogène qu'on ne peut l'utiliser tel quel. Il est donc traité dans les raffineries où l'une des opérations principales consiste à le séparer en fractions plus homogènes. Parmi ces dernières on peut citer entre autres :

— la *fraction gazeuse* (correspondant aux hydrocarbures ayant de 1 à 4 atomes de carbone) ;
— l'*essence* (mélange d'hydrocarbures ayant de 5 à 8 atomes de carbone) ;
— le *kérosène* (mélange d'hydrocarbures ayant de 9 à 11 atomes de carbone, destiné aux moteurs des avions à réaction) ;
— le *mazout* (mélange d'hydrocarbures ayant de 14 à 18 atomes de carbone, destiné entre autres aux moteurs Diesel) ;
— le *bunker* (l'une des fractions les plus lourdes extraites du pétrole, utilisé notamment pour les très gros moteurs).

Voici, à titre d'exemple, les réactions de combustion complète du *méthane* CH_4 (principal constituant du gaz naturel), du *butane* C_4H_{10} (combustible présent dans la fraction gazeuse extraite du pétrole et

10. **Remarque** : Une certaine quantité de monoxyde d'azote NO se forme dans les cylindres des moteurs à combustion interne, car le mélange gazeux (constitué d'air et de combustible) y est soumis à une température élevée. Ce monoxyde d'azote se retrouve donc dans les gaz d'échappement déversés dans l'atmosphère. Au contact du dioxygène de l'air, il se produit par ailleurs la réaction suivante conduisant à la formation du dioxyde NO_2 :

$$NO + \frac{1}{2}\,O_2 \rightarrow NO_2$$

NO et NO_2 sont deux **polluants** importants de l'atmosphère ; ils sont particulièrement nocifs pour les voies respiratoires, et en outre responsables en partie de la formation du *smog photochimique*. Ce dernier est un brouillard constitué d'une grande variété de substances polluantes, dont la formation est amorcée par les photons de la lumière solaire : c'est pour cette raison que le smog photochimique s'observe plus spécialement dans les grandes villes des régions ensoleillées, comme Los Angeles.

De plus, le dioxyde d'azote NO_2 est à la source d'une autre forme de pollution, car il se combine à la vapeur d'eau de l'atmosphère selon la réaction suivante :

$$3\,NO_2 + H_2O \rightarrow 2\,HNO_3 + NO$$

Le composé HNO_3 résultant de cette réaction est un acide en partie responsable de l'**acidité des pluies.**

11. **Remarque** : La réaction de décomposition de $KClO_3$ indiquée ci-contre peut être utilisée au laboratoire pour produire du dioxygène O_2. Mélangé à de très petites quantités de MnO_2, qui joue le rôle de *catalyseur* (substance ayant la propriété d'accélérer une réaction, sans être consommée au cours de cette réaction), $KClO_3$ se décompose régulièrement avec production de O_2 lorsqu'on le chauffe à environ 200 °C. En l'absence de MnO_2, $KClO_3$ se décompose si on le porte à 500 °C, mais la réaction peut alors s'accélérer et devenir explosive.

12. **Remarque** : La nitroglycérine fut obtenue pour la première fois en 1847 par le chimiste italien A. Sobrero : celui-ci se rendit compte à ses dépens qu'il s'agissait d'un explosif de très grande sensibilité. Vingt ans plus tard, en 1867, le chimiste suédois Alfred Nobel parvint à stabiliser la nitroglycérine en la mélangeant à un absorbant tel que la silice poreuse, le charbon de bois ou la sciure de bois : le mélange ainsi obtenu, appelé **dynamite**, conserve à la nitroglycérine ses propriétés détonantes, tout en permettant de la manipuler sans danger. La découverte de la dynamite procura à Nobel une

immense fortune qu'il légua en grande partie, comme on le sait, à la création du fonds qui permet l'attribution annuelle des prix Nobel.

13. Remaques :

a) De façon générale, on désigne par combustions les réactions qui s'accompagnent d'un vif dégagement de chaleur et de lumière (flamme). Les substances qui brûlent (c'est-à-dire que l'on peut enflammer) sont appelées **combustibles** et la substance nécessaire à leur combustion est appelée **comburant**. Le comburant habituel est le dioxygène O_2, mais il existe d'autres substances qui entretiennent les combustions, notamment le dichlore Cl_2. Ainsi, un courant de dihydrogène H_2 brûle dans le dichlore avec une flamme vert pâle. La réaction de combustion qui se produit alors est la suivante :

$$H_2 + Cl_2 \longrightarrow 2\,HCl$$

b) Il ne suffit pas qu'une réaction soit fortement exothermique pour constituer une source intéressante d'énergie chimique. Compte tenu de l'ampleur des besoins d'énergie, il faut aussi que les réactifs nécessaires soient abondants, relativement bon marché et d'emploi facile ; il importe également que les produits de la combustion soient inoffensifs, comme c'est le cas de CO_2 et H_2O, produits normaux de la combustion des composés à base de carbone et d'hydrogène.

14. Remarque :
Les gisements de charbon sont issus de débris végétaux qui, au cours de différentes périodes géologiques, ont été ensevelis et soustraits à l'action oxydante de l'air qui aurait entièrement transformé en CO_2 le carbone qu'ils renfermaient. Ces végétaux se sont donc décomposés à l'abri de l'air, sous l'action de bactéries *anaérobies* (c'est-à-dire vivant en l'absence d'oxygène), selon un processus complexe que l'on ne comprend pas encore en détail. Comme la transformation des végétaux en charbon s'est effectuée très lentement (elle a exigé plusieurs millions d'années), et qu'il y a eu des végétaux enfouis à des époques géologiques différentes, on trouve dans le sol différentes qualités de charbon correspondant à des degrés plus ou moins avancés de transformation. Ainsi on distingue la **tourbe** (contenant 60% de carbone), le **lignite** (69% de carbone), la **houille** (82% de carbone) et l'**anthracite** (95% de carbone) ; cependant, on réserve habituellement le nom de charbon à la houille et à l'anthracite. Selon certaines estimations, il aurait fallu une épaisseur d'environ 30 m de débris végétaux pour former 3 m de tourbe et cette épaisseur aurait fini par donner 1 m de houille. Si l'on suppose que la tourbe se dépose au rythme de

servant notamment à remplir les cartouches des briquets à gaz) et de l'*hexane* C_6H_{14} (constituant de l'essence) :

$$CH_4 + 2\,O_2 \longrightarrow CO_2 + 2\,H_2O\ (+\ 891\ kJ)$$

$$C_4H_{10} + \frac{13}{2}\,O_2 \longrightarrow 4\,CO_2 + 5\,H_2O\ (+\ 2660\ kJ)$$

$$C_6H_{14} + \frac{19}{2}\,O_2 \longrightarrow 6\,CO_2 + 7\,H_2O\ (+\ 3890\ kJ)$$

Les hydrocarbures du pétrole et du gaz naturel n'ont pas toujours été et ne seront vraisemblablement pas toujours les combustibles les plus utilisés. Jusque vers la fin du XVIIIe siècle, c'est le bois (matière complexe constituée essentiellement de carbone, d'hydrogène et d'oxygène) qui servait à satisfaire la presque totalité des besoins d'énergie. En considérant que le principal constituant du bois est la cellulose, de formule $C_6H_{10}O_5$, on peut écrire comme suit l'équation symbolisant la combustion du bois :

$$C_6H_{10}O_5 + 6\,O_2 \longrightarrow 6\,CO_2 + 5\,H_2O\ (+\ 2800\ kJ)$$

Avec l'avènement de l'ère industrielle, la demande d'énergie s'est accrue brusquement et il a fallu faire appel au charbon pour la combler. Ce dernier étant constitué essentiellement de carbone[14], on peut symboliser sa combustion par l'équation suivante :

$$C + O_2 \longrightarrow CO_2\ (+\ 393\ kJ)$$

Au cours du XXe siècle, le charbon a peu à peu été remplacé par le pétrole et le gaz naturel, ces derniers s'étant avérés plus propres, plus pratiques et relativement peu coûteux. Mais depuis le début de la crise de l'énergie en 1973, gouvernements et consommateurs ont peu à peu pris conscience que les gisements d'hydrocarbures étaient en voie d'épuisement et qu'il était urgent de trouver une ou des solutions de rechange. À court terme, on a envisagé entre autres d'employer des alcools[15] tels que le *méthanol* CH_3OH et l'*éthanol* C_2H_5OH: étant principalement constitués de carbone et d'hydrogène, ce sont d'excellents combustibles et ils ont en outre l'avantage de pouvoir se substituer aux carburants actuels sans nécessiter de transformations technologiques importantes. Leurs équations de combustion sont les suivantes :

$$CH_3OH + \frac{3}{2}\,O_2 \longrightarrow CO_2 + 2\,H_2O\ (+\ 639\ kJ)$$

$$C_2H_5OH + 3\,O_2 \longrightarrow 2\,CO_2 + 3\,H_2O\ (+\ 1252\ kJ)$$

À long terme, il semble bien que ce soit le dihydrogène H_2 qui sera appelé à remplacer les hydrocarbures d'aujourd'hui. Sa réaction de combustion :

$$H_2 + \frac{1}{2}\,O_2 \longrightarrow H_2O\ (+\ 285\ kJ)$$

montre que l'on obtient 143 kJ par gramme de combustible, ce qui est une performance bien supérieure à celle des divers autres combustibles mentionnées précédemment : H_2 est un combustible très léger, avantage particulièrement intéressant pour le transport aérien. En outre, l'élément hydrogène est très abondant sur le globe terrestre sous forme de H_2O.

Bien entendu, il faut auparavant décomposer l'eau en H_2 et $\frac{1}{2}\,O_2$ pour pouvoir utiliser l'hydrogène provenant de l'eau comme combustible. Cette décomposition peut s'effectuer par *électrolyse*, mais il s'agit d'un procédé très coûteux en énergie. On travaille donc activement à trouver le moyen de décomposer l'eau sans faire appel au courant électrique, notamment en utilisant les *photons* que nous envoie le soleil (*photolyse* de l'eau).

L'un des inconvénients de l'utilisation des hydrocarbures comme combustibles réside dans le fait que leur combustion s'effectue assez souvent de façon incomplète. Lorsque c'est le cas, une partie du carbone présent dans le combustible se transforme en monoxyde CO plutôt qu'en dioxyde CO_2. Toutes les réactions de combustion des composés à base de carbone données précédemment étaient des réactions de **combustion complète**, puisque le carbone se retrouvait exclusivement à l'intérieur du composé CO_2 dans les produits de réaction. Voici par contre deux exemples de réactions de **combustion incomplète** :

manque d'0

$$C_4H_{10} + 6\,O_2 \rightarrow CO + 3\,CO_2 + 5\,H_2O$$
$$2\,C_6H_{14} + 15\,O_2 \rightarrow 8\,CO + 4\,CO_2 + 14\,H_2O$$

Le monoxyde de carbone CO est un produit de combustion tout à fait indésirable [16] et constitue un **polluant** important de l'atmosphère, car il s'en forme toujours une certaine quantité dans les cylindres des moteurs à explosion, d'où sa présence dans les gaz d'échappement. Certains pays ont cependant résolu ce problème en bonne partie en légiférant pour contraindre les constructeurs d'automobiles à installer un **postbrûleur catalytique** sur le parcours des gaz d'échappement. Le postbrûleur a pour rôle de favoriser, grâce à un catalyseur [17], la postcombustion du monoxyde de carbone (et aussi celle des hydro-carbures imbrûlés) contenu dans les gaz d'échappement, avant que ces derniers ne soient rejetés dans l'atmosphère.

2. Échelle des masses atomiques

2.1. Masses atomiques relatives

Avant la découverte de la structure interne de l'atome, les chimistes caractérisaient les éléments par leur **masse atomique** plutôt que par leur numéro atomique, puisqu'ils ne connaissaient pas l'existence des électrons, des protons et des neutrons, ni bien entendu l'importance du nombre de protons contenu dans le noyau. Puisqu'ils ne savaient pas non plus mesurer la masse d'un atome, ils durent se contenter de choisir un élément comme référence et de lui attribuer une masse atomique arbitraire : c'est l'hydrogène qu'ils choisirent d'abord comme référence et ils lui attribuèrent une masse atomique égale à 1. En se basant sur cette référence, ils s'efforcèrent de déterminer les masses atomiques des autres éléments à partir de l'analyse des composés chimiques. Par exemple, en formant du chlorure d'hydrogène par combinaison de l'hydrogène et du chlore, on peut constater que 35,5 g de chlore se combinent toujours à 1 g d'hydrogène [18]. En supposant que la formule du chlorure d'hydrogène est HCl, c'est-à-dire qu'un atome d'hydrogène se combine à un atome de chlore pour former ce composé, on peut en déduire qu'**un atome de chlore est 35,5 fois plus lourd qu'un atome d'hydrogène**. On peut donc dire que 35,5 est la **masse atomique relative** du chlore, c'est-à-dire sa masse atomique comparée à celle de l'hydrogène prise arbitrairement égale à 1.

En procédant avec d'autres composés de la même manière qu'avec HCl, il est possible en principe de déduire d'autres masses atomiques

0,30 m par siècle, la formation d'un filon de charbon de 1 m d'épaisseur aurait donc exigé 1000 ans. Comme le charbon, le pétrole et le gaz naturel proviennent de la décomposition d'organismes vivants, et leur formation a exigé aussi plusieurs millions d'années. Alors que les charbons ont été produits à partir des végétaux de vastes marécages, les pétroles ont plutôt été produits à partir d'organismes vivants de mers intérieures ou de bassins côtiers (plancton, restes d'animaux marins, débris de plantes arrachés au continent par les rivières).

15. Remarque : Les alcools sont des composés à base de carbone contenant le groupement OH. Le méthanol et l'éthanol sont les deux alcools les plus simples puisqu'ils renferment respectivement un et deux atomes de carbone. L'un des principaux intérêts du méthanol réside dans le fait qu'il peut être fabriqué à partir de matières premières très variées, pourvu qu'elles renferment du carbone, de l'hydrogène et de l'oxygène. En particulier, on peut obtenir le méthanol par fermentation de résidus tels que les ordures ménagères, les déchets agricoles ou les restes de l'exploitation forestière, ce qui représente une manière intéressante d'utiliser les ressources énergétiques de la **biomasse** (ensemble des matières carbonées que produisent les êtres vivants).

L'éthanol (alcool présent dans les boissons alcoolisées) se forme lors de la fermentation des sucres ou de l'amidon sous l'action de champignons microscopiques. On peut donc l'obtenir à partir de produits agricoles tels que la canne à sucre, la betterave à sucre, le manioc, la pomme de terre, le maïs, le blé. À cause de l'étendue limitée des surfaces cultivables, l'emploi de l'éthanol ne peut cependant être envisagé que pour couvrir une petite partie des besoins énergétiques.

16. Remarque : Le monoxyde de carbone est un gaz extrêmement toxique à cause de sa très grande aptitude à se fixer sur l'hémoglobine du sang, dont l'un des rôles dans l'organisme est d'effectuer le transport de l'oxygène. Au niveau des poumons, l'hémoglobine fixe le dioxygène contenu dans l'air inhalé et se transforme en *oxyhémoglobine* qui, à l'aide du flux sanguin, apporte l'oxygène dans tous les tissus. Or, l'hémoglobine a pour la molécule CO une affinité environ 200 fois supérieure à celle qu'elle a pour la molécule O_2. Lorsque l'air inhalé contient du CO, ce dernier se fixe donc sur l'hémoglobine, de préférence au dioxygène : il en résulte la formation d'une certaine quantité de *carboxyhémoglobine*, ce qui entraîne par le fait même une diminution de la quantité d'oxyhémoglobine susceptible de se former et, en conséquence, une diminution de la quantité d'oxygène véhiculée dans les tissus.

17. Remarque : Le plomb rend inefficace le catalyseur des postbrûleurs catalytiques, d'où la nécessité d'utiliser de l'essence sans plomb pour les voitures équipées d'un tel postbrûleur.

18. Remarque : C'est là une conséquence du fait que le chlorure d'hydrogène, comme tous les composés chimiques, a une composition invariable.

19. Remarque : La théorie atomique, c'est-à-dire la théorie selon laquelle la matière est constituée d'atomes, avait été proposée par des philosophes grecs (en particulier Démocrite), dès le Ve siècle avant J.C. Mais c'est Dalton qui, en 1808, énonça la **théorie atomique** de façon formelle, en s'appuyant sur des résultats expérimentaux. Parmi ces derniers, il y avait notamment le fait que les composés chimiques ont une composition invariable et le fait que la masse se conserve au cours d'une réaction chimique. La loi de **conservation de la masse**, résumée par l'expression célèbre « rien ne se perd, rien ne se crée » avait été vérifiée par Lavoisier en 1783.

relatives. La détermination des autres masses atomiques n'est pas toujours aussi facile, car tous les composés n'ont pas une formule chimique aussi simple que HCl. C'est ainsi d'ailleurs que Dalton [19] attribua au début une masse atomique erronée à l'oxygène, en se basant sur le fait que l'eau résulte de la combinaison de 1 g d'hydrogène et de 8 g d'oxygène. Comme il supposait que la formule de l'eau était HO, il en conclut qu'un atome d'oxygène était 8 fois plus lourd qu'un atome d'hydrogène.

La correction de ces premières erreurs vint notamment de la mesure des volumes de gaz qui se combinent pour former certains composés chimiques. Ce fut tout d'abord Gay-Lussac qui constata (en 1805) que :

> *Les volumes de deux gaz (pris dans les mêmes conditions de température et de pression) qui s'unissent pour former un composé sont dans un rapport simple ; si le composé obtenu est gazeux, le volume de ce dernier est dans un rapport simple avec les volumes des gaz entrés en combinaison.*

Par exemple:

1 volume d'hydrogène	+	1 volume de chlore	→	2 volumes de chlorure d'hydrogène
2 volume d'hydrogène	+	1 volume d'oxygène	→	2 volumes d'eau
3 volume d'hydrogène	+	1 volume d'azote	→	2 volumes d'ammoniac

Par la suite, pour expliquer les constatations de Gay-Lussac, Avogadro fit l'hypothèse suivante (en 1811) :

> *Des volumes égaux de deux gaz quelconques, pris dans les mêmes conditions, contiennent le même nombre de particules. Ces particules ne sont pas nécessairement des atomes, mais peuvent être des **associations d'atomes**, c'est-à-dire des **molécules.***

En particulier, Avogadro supposa que l'hydrogène, le chlore, l'oxygène, l'azote seraient des gaz constitués, non d'atomes isolés, mais de molécules diatomiques. Dans ces conditions, les constatations de Gay-Lussac s'expliqueraient ainsi :

$$H_2 \quad + \quad Cl_2 \quad \longrightarrow \quad 2\,HCl$$

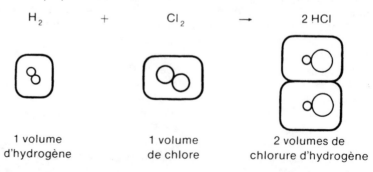

1 volume d'hydrogène   1 volume de chlore   2 volumes de chlorure d'hydrogène

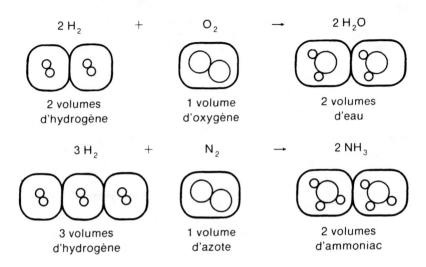

$$2 H_2 \quad + \quad O_2 \quad \rightarrow \quad 2 H_2O$$

2 volumes d'hydrogène   1 volume d'oxygène   2 volumes d'eau

$$3 H_2 \quad + \quad N_2 \quad \rightarrow \quad 2 NH_3$$

3 volumes d'hydrogène   1 volume d'azote   2 volumes d'ammoniac

Il résulte des hypothèses qui précèdent que la formule du chlorure d'hydrogène serait bien HCl comme on avait pu le supposer auparavant, mais que celle de l'eau serait H_2O et celle de l'ammoniac NH_3. La connaissance de la formule moléculaire correcte de l'eau conduit à une masse atomique relative correcte de l'oxygène. En effet :

puisque : 1 g d'hydrogène + 8 g d'oxygène → 9 g d'eau

ou encore : 2 g d'hydrogène + 16 g d'oxygène → 18 g d'eau

et que : 2 atomes + 1 atome → 1 molécule
d'hydrogène   d'oxygène   d'eau

il y a donc deux fois plus d'atomes d'hydrogène dans 2 g d'hydrogène qu'il y a d'atomes d'oxygène dans 16 g d'oxygène ; par conséquent, il y a autant d'atomes d'hydrogène dans 1 g d'hydrogène que d'atomes d'oxygène dans 16 g d'oxygène : cela veut donc dire qu'**un atome d'oxygène est 16 fois plus lourd qu'un atome d'hydrogène**. En faisant le même raisonnement dans le cas de l'ammoniac, qui résulte de la combinaison de 3 g d'hydrogène et de 14 g d'azote, on peut conclure qu'**un atome d'azote est 14 fois plus lourd qu'un atome d'hydrogène**.

Par le moyen que nous venons de décrire, et aussi à l'aide d'autres méthodes proposées par d'autres chercheurs, les chimistes parvinrent à déterminer (avec plus ou moins d'exactitude au début) les masses atomiques relatives des éléments. Cela leur permit de constituer une **échelle de masses atomiques**, qui est un ensemble de masses atomiques déterminées par rapport à une même référence.

2.2. Spectrographe de masse

À l'heure actuelle, les masses atomiques relatives peuvent être mesurées avec une précision beaucoup plus grande que ne le permettaient les méthodes évoquées précédemment. L'instrument dont on se sert pour mesurer ces masses s'appelle un **spectrographe de masse**[20]. Il s'agit d'un appareil dont les composantes principales sont la **chambre d'ionisation, l'analyseur** et la **plaque photographique** (figures 1.3 et 1.4).

La **chambre d'ionisation** est une enceinte où l'on a fait un vide très poussé et qui est traversée par une décharge électrique. Cette dernière consiste en un flot d'électrons qui se déplace d'une électrode négative vers une électrode positive, sans le support d'un conducteur métallique[21]. Pour que la décharge électrique

20. **Remarque** : Le premier spectrographe de masse fut construit par Aston en 1919.

21. **Remarque** : On sait que le courant électrique ne se déplace habituellement qu'à l'intérieur d'un conducteur métallique : c'est la raison pour laquelle un circuit électrique doit en principe être fermé pour qu'il y ait passage du courant électrique.

puisse se produire, il faut que la différence de potentiel entre les deux électrodes soit très élevée, et qu'il y ait un vide très poussé entre les électrodes, sinon presque tous les électrons heurteraient des particules de gaz et ne pourraient pas atteindre l'électrode positive. Après avoir été portés à l'état gazeux, les éléments dont on veut mesurer la masse atomique sont injectés dans la chambre d'ionisation (en très faible quantité, bien entendu, pour que le vide reste très poussé). Un certain nombre d'électrons de la décharge électrique bombardent les atomes (lorsqu'il s'agit de molécules, une partie d'entre elles est dissociée en atomes sous le choc des électrons de la décharge électrique) de l'élément introduit, et les transforment en ions positifs en leur arrachant des électrons. Une fois produits, les ions positifs sont également accélérés dans la chambre d'ionisation, grâce à la différence de potentiel que l'on établit entre deux électrodes accélératrices. Pour sortir de cette chambre, les ions ont à traverser une fente très fine qui réduit le flot d'ions positifs à un pinceau très mince ; au bout de son parcours, après avoir été dévié par l'analyseur, ce pinceau d'ions produira une raie sur la plaque photographique et cette raie n'est autre que l'image de la fente qui a limité au départ le pinceau d'ions.

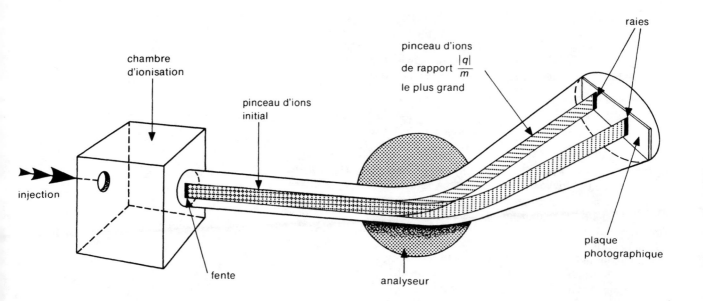

FIGURE 1.3

Schéma du spectrographe de masse
(vue de côté)

À la sortie de la chambre d'ionisation, le pinceau d'ions s'engage dans un tube hermétique où règne un vide très poussé, afin de permettre le libre déplacement des ions. Le tube est recourbé lorsqu'il traverse l'**analyseur**, car ce dernier a pour fonction de dévier les ions grâce à l'application d'un champ électrique (ou d'un champ magnétique). La déviation que subit un ion en traversant un champ électrique est proportionnelle à la valeur absolue de sa charge $|q|$, et inversement proportionnelle à sa masse m, c'est-à-dire proportionnelle au rapport $\dfrac{|q|}{m}$. En comparant les déviations d'ions de même charge (ex.: Cl^+, O^+, N^+), on peut comparer leurs masses. Plus précisément, le rapport

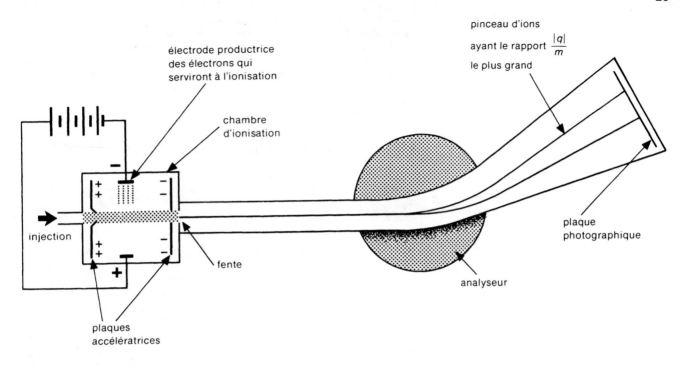

FIGURE 1.4

Schéma du spectrographe de masse
(vue de dessus)

des déviations d'ions de même charge est inversement proportionnel au rapport des masses de ces ions :

$$\frac{d_1}{d_2} = \frac{m_2}{m_1}$$

À la sortie de l'analyseur, les ions positifs atteignent une **plaque photographique** qu'ils impressionnent : il y a évidemment autant de **raies** (images de la fente) sur la plaque photographique qu'il se forme de pinceaux d'ions différents lors de la traversée de l'analyseur.

Le spectrographe de masse permet de mesurer les masses atomiques avec une précision incomparablement plus grande que celle des méthodes chimiques les plus soignées. C'est d'ailleurs pourquoi l'un des résultats les plus marquants qu'il a permis d'obtenir est l'**identification des isotopes** qui sont, de toute façon, impossibles à distinguer à l'aide de méthodes chimiques. Supposons par exemple que l'élément introduit dans la chambre d'ionisation soit du néon. Comme le néon est un élément monoatomique (c'est-à-dire constitué d'atomes et non de molécules), il y a surtout des ions Ne^+, et une certaine quantité d'ions Ne^{2+}, parmi les ions formés. À la traversée de l'analyseur, les ions Ne^{2+} sont deux fois plus déviés que les ions Ne^+ et, en général, on n'observera sur la plaque photographique que la raie correspondant aux ions Ne^+, car celle qui serait produite par les ions Ne^{2+} est en dehors du champ de la plaque photographique. Or, ce n'est pas une seule raie correspondant à l'ion Ne^+ que l'on observe, mais **deux raies très voisines**, correspondant à deux ions de même charge et de **masses légèrement différentes**. Dans le cas du néon, il y a une raie correspondant à une masse atomique d'environ 20, et une autre correspondant à une masse atomique d'environ 22, ce qui signifie que le néon naturel comporte deux isotopes, l'isotope 20 de masse atomique 19,99244 et l'isotope 22 de masse atomique 21,99138. En outre, la raie correspondant à l'isotope 20 est beaucoup plus intense que celle correspondant à l'isotope 22 ; en fait, **l'intensité d'une raie est proportionnelle à l'abondance de l'isotope correspondant** et le néon naturel contient environ 91% d'isotope 20 et environ 9% d'isotope 22 : de ce fait, la masse atomique moyenne du néon est d'environ 20,2. On voit donc que le spectrographe de masse ne permet pas seulement une mesure précise de la masse atomique des différents isotopes d'un élément, mais qu'il fournit, avec précision également, leurs pourcentages d'abondance respectifs.

2.3. Composition isotopique et masse atomique moyenne

Comme nous l'avons indiqué plus tôt en traitant des isotopes, un même élément possède souvent plusieurs isotopes naturels. Il s'ensuit que la masse atomique d'un élément est en général une **masse atomique moyenne**, car même si tous les atomes d'un même élément renferment le même nombre de protons, ils ne peuvent pas tous avoir la même masse s'ils ne renferment pas tous le même nombre de neutrons. Prenons comme exemple le magnésium qui possède trois isotopes naturels, ^{24}Mg, ^{25}Mg et ^{26}Mg. Il est clair qu'un atome ^{25}Mg est plus lourd qu'un atome ^{24}Mg ; de même, un atome ^{26}Mg est plus lourd qu'un atome ^{25}Mg. Par conséquent, la masse atomique moyenne du magnésium naturel sera plus grande que celle de l'isotope ^{24}Mg et plus petite que celle de l'isotope ^{26}Mg. Sera-t-elle égale à celle de l'isotope ^{25}Mg ? Non, sauf si dans un échantillon de magnésium naturel il y a autant d'isotope ^{24}Mg que d'isotope ^{26}Mg, ce qui n'est pas le cas. En fait, un échantillon de magnésium naturel renferme 78,99% de l'isotope ^{24}Mg, 10,00% de l'isotope ^{25}Mg et 11,01% de l'isotope ^{26}Mg. Il est donc évident que la masse atomique moyenne du magnésium naturel sera assez proche de la masse atomique de l'isotope ^{24}Mg, mais un peu plus grande cependant, à cause de la présence des isotopes ^{25}Mg et ^{26}Mg. Pour trouver la masse atomique moyenne d'un élément, on additionne les masses atomiques de ses isotopes naturels après les avoir **pondérées à l'aide de leurs pourcentages**. Dans le cas du magnésium, les masses atomiques sont de 23,98504 pour l'isotope ^{24}Mg, de 24,98584 pour l'isotope ^{25}Mg et de 25,98259 pour l'isotope ^{26}Mg. La masse atomique moyenne du magnésium se calcule donc ainsi :

$$23,98504 \times \frac{78,99}{100} + 24,98584 \times \frac{10,00}{100} + 25,98259 \times \frac{11,01}{100}$$
$$= 24,305$$

Comme on peut le constater grâce aux valeurs données pour le magnésium, la masse atomique d'un isotope est connue avec une précision beaucoup plus grande que le pourcentage de cet isotope présent dans un échantillon naturel de l'élément considéré. C'est en fait la **composition isotopique** d'un élément (c'est-à-dire l'ensemble des pourcentages de chacun des isotopes naturels de cet élément) qui limite la précision avec laquelle on peut connaître sa masse atomique moyenne. La composition isotopique est en effet sensiblement constante, quelle que soit l'origine géologique ou géographique de l'échantillon considéré, mais on observe cependant quelques fluctuations. Il est pourtant un cas où la composition isotopique n'influence pas la précision avec laquelle on peut connaître la masse atomique : lorsqu'il s'agit d'un élément n'ayant qu'un seul isotope naturel. Le fluor F, le sodium Na, l'aluminium Al, le phosphore P sont des exemples d'éléments n'ayant qu'un seul isotope naturel : cela explique que les masses atomiques de ces éléments soient connues avec une très grande précision, comme on peut le voir à la table de la première page.

2.4. Référence de l'échelle des masses atomiques

Tel qu'indiqué précédemment, l'échelle des masses atomiques a d'abord été construite en prenant l'hydrogène comme référence et en lui attribuant une masse atomique égale à 1 (cela remonte au début des années 1800). Au cours des années suivantes, il y eut d'autres choix de références [22] et, plus tard, après 1860, les chimistes s'entendirent pour choisir l'oxygène comme référence et lui attribuèrent une masse atomique égale à 16. Cette référence fut encore changée en 1961, parce que les physiciens avaient adopté une référence autre que celle des chimistes, et qu'il y avait par conséquent deux échelles de masses atomiques : celle des physiciens et celle des chimistes. En fait ces deux échelles étaient extrêmement voisines : les chimistes attribuaient une masse atomique de 16 à l'oxygène naturel, alors que les physiciens attribuaient une masse atomique de 16 à l'isotope 16 de l'oxygène. Comme l'oxygène naturel est constitué de 99,76% de l'isotope ^{16}O, de 0,038% de l'isotope ^{17}O et de 0,204% de l'isotope ^{18}O, on comprend que la masse atomique moyenne de l'oxygène naturel soit légèrement supérieure à celle de l'isotope ^{16}O. Par conséquent, dans l'échelle des chimistes, les valeurs des masses atomiques étaient légèrement inférieures ; par exemple, la masse atomique de l'azote était de 14,008 dans l'échelle des chimistes et de 14,012 dans l'échelle des physiciens.

Pour éliminer la confusion résultant de l'existence de deux échelles de masses atomiques très voisines (le facteur de conversion pour passer de l'une à l'autre était de 1,000275), on décida en 1961, par accord international, de créer une échelle officielle unique. **On adopta comme nouvelle référence l'isotope 12 du carbone auquel on attribua une masse atomique exactement égale à 12.**

22. **Remarque** : Avant que l'on n'adopte l'oxygène comme référence, avec une masse atomique conventionnellement égale à 16, il y eut divers choix de références qui coexistèrent, et plusieurs échelles de masses atomiques furent proposées. L'une des plus connues fut celle de Berzélius (publiée en 1826) qui attribuait conventionnellement à l'oxygène une masse atomique égale à 100.

3. Concept de mole

Les constituants de base de la matière sont des atomes, des molécules ou des ions. Toutes ces particules sont extrêmement petites, et chaque fois que l'on manipule une certaine quantité de matière, ce ne sont pas des milliards, mais des milliards de milliards, et même des milliards de milliards de milliards d'atomes, de molécules ou d'ions que l'on manipule. Voici quelques chiffres pour concrétiser cette affirmation :

- dans **1 g d'eau** il y a environ
  33 000 000 000 000 000 000 000 de molécules H_2O
- dans **1 kg de fer** il y a environ
  11 000 000 000 000 000 000 000 000 d'atomes Fe
- dans **1 m³ d'air** aux conditions ambiantes il y a environ
  25 000 000 000 000 000 000 000 000 de molécules (O_2 et N_2 mélangées).

Même si l'utilisation des puissances de 10 rend l'écriture de tels nombres beaucoup plus commode, les chimistes ont adopté une convention qui permet d'éviter l'utilisation fréquente de nombres aussi grands. Cette convention est la suivante :

Au lieu de s'exprimer en termes de particules, on s'exprime plutôt en termes de **groupes de particules**: comme ces dernières sont très petites, le groupe de particules choisi comme groupe de référence renferme un nombre très grand de particules: ce nombre, appelé **constante d'Avogadro**, et symbolisé par N_A, a la valeur suivante:

$$N_A = 6,022 \times 10^{23} \frac{\text{particules}}{\text{groupe de particules pris comme référence}}$$

On a par ailleurs donné le nom de **mole** au groupe de particules pris comme référence. Ainsi, **une mole (symbole: mol) de particules représente $6,022 \times 10^{23}$ particules, quelle que soit la nature de ces particules**[23]. Par exemple:

1 mol d'eau représente $6,022 \times 10^{23}$ molécules H_2O
1 mol d'ions Na^+ représente $6,022 \times 10^{23}$ ions Na^+
1 mol d'ions SO_4^{2-} représente $6,022 \times 10^{23}$ ions SO_4^{2-}
1 mol d'électrons représente $6,022 \times 10^{23}$ électrons

On peut employer aussi le terme de mole pour des entités autres que des particules, notamment pour des liaisons. Ainsi:
1 mol de liaisons $O-H$ représente $6,022 \times 10^{23}$ liaisons $O-H$

23. Remarque: En définissant la *mole*, les chimistes ont adopté une solution semblable à celle que l'on adopte dans la vie courante lorsqu'on parle par exemple d'une *douzaine* d'œufs ou d'une *centaine* de feuilles de papier. De même qu'il n'est pas pratique d'acheter ou de vendre une feuille de papier à la fois, parce que dans le cas de cette denrée cela représente une quantité trop petite, il n'est pas pratique en chimie de considérer un atome ou une molécule à la fois. En définitive, le mot mole a une signification absolument analogue à celle du mot douzaine ou à celle du mot centaine. Ces trois mots désignent un groupe d'entités renfermant un nombre fixe d'entités; ce nombre diffère dans chaque cas parce qu'il est adapté à l'entité en question.

La valeur précise de $6,022 \times 10^{23}$ découle évidemment de la manière dont on a choisi le groupe de particules de référence. Comme pendant un siècle (de 1860 à 1961) les masses atomiques ont été basées sur une masse de l'oxygène prise égale à 16, on a choisi comme groupe de référence le groupe d'atomes d'oxygène présents dans un échantillon de 16 g d'oxygène. À l'heure actuelle, les masses atomiques étant basées sur ^{12}C, le groupe de référence devient le groupe d'atomes ^{12}C présents dans un échantillon de 12,0000 g de l'isotope 12 du carbone. C'est pour cela que l'*Organisation internationale de normalisation* qui élabore les *Normes internationales* définit comme suit la constante d'Avogadro et la mole:

La constante d'Avogadro se définit comme étant le nombre d'atomes présents dans 12,0000 g de l'isotope 12 du carbone (^{12}C); la valeur numérique de cette constante est $6,022\ 045 \times 10^{23}$. Par ailleurs, on désigne par mole la quantité de matière d'un système contenant autant d'entités élémentaires qu'il y a d'atomes dans 12,0000 g de carbone 12. La mole est l'unité de la grandeur exprimant la *quantité de matière*.

Accompagnée de son unité, la constante d'Avogadro se note donc ainsi:

$$N_A = 6,022 \times 10^{23} \frac{\text{entités}}{\text{mol d'entités}}$$

ou encore

$$N_A = 6,022 \times 10^{23}\ \text{mol}^{-1}$$

Comme la définition de la mole s'applique à n'importe quelle entité élémentaire, on qualifie de **molaires** les grandeurs qui se rapportent à une mole d'entités. Ainsi, le **volume molaire** d'un gaz aux conditions normales de température et de pression est le volume qu'occupe une mole de gaz (c'est-à-dire $6,022 \times 10^{23}$ molécules) dans ces mêmes conditions. La grandeur molaire que l'on utilise sans doute le plus souvent est la **masse molaire**, qui s'exprime généralement en g/mol (ou en kg/mol), et qui correspond à la **masse d'une mole de particules** (atomes, molécules, ions, etc.). Entre autres, la masse molaire de l'isotope ^{12}C est exactement égale à 12,0000 g/mol, ce qui permet d'ailleurs de calculer la masse réelle d'un atome de cet isotope :

$$\text{masse d'un atome } ^{12}C = \frac{12,0000 \text{ g/mol}}{6,022 \times 10^{23} \text{ atomes/mol}} = 1,99 \times 10^{-23} \text{ g/atome}$$

Il faut souligner en outre que le concept de mole, tel que défini précédemment, permet de convertir l'échelle des masses atomiques relatives (sans unité) en échelle des masses molaires (exprimées en g/mol). En effet, dire que la masse atomique relative de l'oxygène égale 15,9994 signifie qu'une mole d'atomes d'oxygène a une masse de 15,9994 g : cela veut dire que la masse molaire de l'élément oxygène est de 15,9994 g/mol.

La valeur numérique de la constante d'Avogadro a été déterminée à l'aide de diverses méthodes qui aboutissent toutes à des résultats concordants, sans avoir toutefois la même précision. Parmi ces méthodes, il y a entre autres la mesure de la masse de métal déposé à la cathode lors d'une *électrolyse*, qui est une transformation au cours de laquelle on effectue une réaction chimique à l'aide du courant électrique. Pour réaliser une électrolyse, on plonge deux plaques métalliques, appelées **électrodes**, dans une solution aqueuse renfermant des ions, appelée **électrolyte** (figure 1.5). Lorsque les deux plaques sont reliées aux bornes d'un générateur électrique, un ampèremètre A intercalé dans le circuit indique le passage d'un courant, bien qu'apparemment le circuit ne soit pas fermé : la solution aqueuse renfermant des ions est donc conductrice du courant électrique. Nous avons mentionné précédemment qu'il existe des composés chimiques appelés **composés ioniques** parce qu'ils sont constitués d'**ions positifs** et d'**ions négatifs** liés par l'attraction électrique qui existe entre les charges de signes opposés. Par exemple, NaCl est un composé ionique constitué d'ions Na^+ et d'ions Cl^- ; CaF_2 est un composé ionique constitué d'ions Ca^{2+} et d'ions F^- ; $AgNO_3$ est un composé ionique constitué d'ions Ag^+ et d'ions NO_3^- ; $CuSO_4$ est un composé ionique constitué d'ions Cu^{2+} et d'ions SO_4^{2-} [24]. Lorsqu'un composé ionique est mis en solution aqueuse, les ions se séparent les uns des autres et se dispersent parmi les molécules d'eau : on dit que le composé ionique **se dissocie**. Ainsi, une solution aqueuse de NaCl ne renferme pas de groupements NaCl, mais des ions Na^+ et des ions Cl^- séparés les uns des autres. Puisqu'elle contient des ions, une solution aqueuse d'un composé ionique est conductrice car, sous l'action du champ électrique existant entre les électrodes, les **cations** (ions positifs) se déplacent vers l'électrode négative et les **anions** (ions négatifs) se déplacent vers l'électrode positive : ce déplacement d'ions constitue un courant de charges, donc un courant électrique.

Imaginons maintenant une électrolyse effectuée en employant une solution aqueuse de $AgNO_3$ comme électrolyte. Lorsque les électrodes sont reliées aux bornes du générateur, les ions NO_3^- se dirigent vers l'**anode** (électrode positive), tandis que les ions Ag^+ se dirigent vers la **cathode** (électrode négative) [25]. On observe alors la formation d'un **dépôt d'argent métallique à la cathode** dû à la réaction :

$$Ag^+ + e^- \longrightarrow Ag_{(métal)}$$

24. Remarque : De façon générale, les métaux (éléments situés à gauche de la classification périodique) retiennent peu leurs électrons périphériques et ont tendance à les perdre pour donner des ions positifs appelés **cations** (ex. : Na^+, Ca^{2+}, Ag^+, Cu^{2+}). Au contraire, les non-métaux (éléments situés à droite de la classification périodique) retiennent bien leurs électrons périphériques et ont même tendance à capter des électrons supplémentaires pour former des ions négatifs appelés **anions** (ex. : Cl^-, F^-) ; de plus, les non-métaux ont tendance à former des anions polyatomiques dans lesquels ils sont généralement liés à l'oxygène (ex. : NO_3^-, SO_4^{2-}).

25. Remarque : Les ions positifs ont été appelés **cations** précisément parce qu'ils se dirigent vers la **cathode** lors d'une électrolyse ; de même, les ions négatifs ont été appelés **anions** parce qu'ils se dirigent vers l'**anode.**

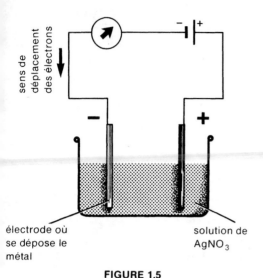

sens de déplacement des électrons

électrode où se dépose le métal

solution de $AgNO_3$

FIGURE 1.5

Électrolyse d'une solution de $AgNO_3$

qui n'est autre que la décharge des ions Ag^+ par les électrons que fournit le courant électrique. La mesure de la masse d'argent métallique déposé à la cathode a permis de vérifier ceci :

> Lorsqu'une quantité d'électricité égale à 96 500 C traverse l'appareil, on obtient un dépôt d'argent de 108 g à la cathode. Comme 108 g d'argent représentent 1 mol d'argent, il s'ensuit que 96 500 C permettent de déposer 1 mol d'argent à la cathode.

Ce résultat a été obtenu par Faraday en 1830 alors qu'on ne savait pas interpréter ce qui se produisait lors de l'électrolyse, puisqu'on ne connaissait pas la nature du courant électrique ni l'existence de l'électron. Mais on connaît aujourd'hui la charge de l'électron et on sait donc que 96 500 C correspondent à :

$$\frac{96\,500\ C}{1,6 \times 10^{-19}\ C/\text{électron}} = 6,0 \times 10^{23}\ \text{électrons}$$

Donc, lorsque 96 500 C ont traversé le circuit électrique, $6,0 \times 10^{23}$ électrons sont parvenus à la cathode pour permettre la décharge des ions Ag^+. Comme il faut un électron par ion Ag^+ et que 96 500 C permettent de déposer 108 g d'argent, cela veut dire que **108 g d'argent renferment $6,0 \times 10^{23}$ atomes Ag.**

Dans le cas où l'électrolyte employé est une solution aqueuse de $CuSO_4$, la réaction à la cathode est la suivante :

$$Cu^{2+} + 2\,e^- \longrightarrow Cu_{(\text{métal})}$$

On constate alors que 96 500 C permettent de déposer $\frac{63,5\ g}{2}$ de cuivre, c'est-à-dire $\frac{1}{2}$ mole de cuivre. Comme il faut alors deux électrons par ion Cu^{2+}, il est normal qu'une mole d'électrons (c'est-à-dire 96 500 C) ne permette de déposer qu'une demi-mole de cuivre.

4. Oxydo-réduction

4.1. Définition des termes oxydation, réduction, oxydant, réducteur

L'oxygène étant un élément extrêmement répandu, aussi bien dans l'écorce terrestre que dans l'atmosphère qui l'environne [26], il est présent dans de nombreux composés naturels et joue un rôle essentiel dans bien des réactions chimiques importantes, notamment les combustions. Ayant pris conscience de ce fait, les chimistes ont appelé **oxydations** les réactions au cours desquelles il y a **gain d'oxygène**, et **réductions** les réactions au cours desquelles il y a perte d'oxygène. Par exemple, les deux équations chimiques ci-dessous symbolisent respectivement **l'oxydation du carbone** et **l'oxydation du fer** [27] :

$$C + O_2 \rightarrow CO_2$$
$$4\,Fe + 3\,O_2 \rightarrow 2\,Fe_2O_3$$

Au contraire, les deux équations chimiques suivantes symbolisent respectivement la **réduction de l'oxyde de nickel** (par le dihydrogène H_2) et la **réduction du trioxyde de dichrome** (Cr_2O_3) par l'aluminium :

$$NiO + H_2 \rightarrow Ni + H_2O$$
$$Cr_2O_3 + 2\,Al \rightarrow Al_2O_3 + 2\,Cr$$

26. Remarque : Environ 50% de la masse de la *lithosphère* (ensemble des roches solides qui constituent la croûte terrestre) est constituée par de l'oxygène; l'*hydrosphère* (océans et mers) contient environ 88,8% en masse d'oxygène et l'*atmosphère* en renferme environ 21% en volume.

27. Remarque : La transformation de Fe en Fe_2O_3 symbolisée par l'équation ci-contre correspond approximativement à la transformation du fer en *rouille*.

Parallèlement aux termes oxydation et réduction, les termes oxydant et réducteur ont également été créés : un **oxydant** est une espèce chimique **capable de réaliser des oxydations** et un **réducteur** est une espèce chimique **capable de réaliser des réductions**. D'après les exemples qui précèdent, le dioxygène O_2 est, par définition, un oxydant, tandis que H_2 et Al sont des réducteurs puisqu'ils sont en mesure « d'arracher » l'oxygène aux composés NiO et Cr_2O_3.

Tels qu'ils sont employés à l'heure actuelle, les concepts d'oxydation, de réduction, d'oxydant et de réducteur ont un sens plus général que celui qui leur a été donné à l'origine, car on s'est rendu compte en étudiant la structure des atomes et des composés chimiques que les réactions d'oxydation et les réactions de réduction s'accompagnent toujours d'un **échange d'électrons**. Pour comprendre cela, considérons en premier lieu la réaction d'oxydation du magnésium [28] :

$$Mg + \frac{1}{2} \underset{\text{oxydant}}{O_2} \longrightarrow MgO$$

Le composé MgO formé au cours de cette réaction est un composé ionique, parce qu'il est constitué des ions Mg^{2+} et O^{2-}, liés entre eux par l'attraction électrique qui s'exerce entre deux ions de charges opposées. Le magnésium, situé à gauche dans la classification, est en effet un élément qui perd facilement ses deux électrons périphériques, tandis que l'oxygène, situé à droite dans la classification, est un élément qui gagne facilement deux électrons supplémentaires. Lorsque ces deux éléments sont mis en contact, il y a transfert de deux électrons d'un atome de magnésium à un atome d'oxygène, et il en résulte la formation du composé ionique MgO. Ceci étant connu, il apparaît que **l'oxydant a gagné des électrons** au cours de la réaction. Considérons maintenant la réaction :

$$Cr_2O_3 + 2\,\underset{\text{réducteur}}{Al} \longrightarrow Al_2O_3 + 2\,Cr$$

Tout comme MgO, Cr_2O_3 et Al_2O_3 sont des composés ioniques [29] : Cr_2O_3 est constitué des ions Cr^{3+} et O^{2-}, tandis que Al_2O_3 est constitué des ions Al^{3+} et O^{2-}. Il s'ensuit que **le réducteur a perdu des électrons** au cours de la réaction puisqu'il est passé de l'état métallique (Al) a l'état d'ions Al^{3+}.

En mettant ainsi l'accent sur l'échange d'électrons, il apparaît évident qu'un élément ne peut gagner des électrons sans qu'un autre en perde, car les électrons ne peuvent être ni des réactifs ni des produits de la réaction. Donc, si l'oxydant gagne des électrons et si le réducteur en perd, le fait qu'un élément se soit comporté comme oxydant au cours d'une réaction suppose qu'un autre élément se soit comporté comme réducteur au cours de la même réaction. Autrement dit, les réactions au cours desquelles il y a oxydation sont aussi les réactions au cours desquelles il y a réduction : c'est pour cela que de telles réactions sont appelées réactions d'**oxydo-réduction**. Dans cette optique :

> un **oxydant** est un élément **apte à gagner des électrons**,
> un **réducteur** est un élément **apte à libérer des électrons**,

de sorte que **le réducteur cède des électrons à l'oxydant**. Appliquée aux réactions qui précèdent, cette nouvelle définition des termes oxydant et

28. Remarque : L'équation ci-contre symbolise la réaction qui se produit lors de la combustion du magnésium (par exemple lorsqu'on enflamme un ruban de magnésium). Il s'agit d'une réaction qui dégage beaucoup de chaleur et produit une lumière éblouissante, d'où l'emploi du magnésium en photographie.

29. Remarque : Dire que MgO, Cr_2O_3 et surtout Al_2O_3 sont des composés ioniques constitue en fait une simplification. Nous aurons en effet l'occasion de voir plus loin, en étudiant la liaison chimique, que les liaisons réelles qui unissent les atomes entre eux dans les composés chimiques sont souvent partiellement ioniques et partiellement covalentes. (Alors que la liaison ionique résulte d'un transfert d'électrons qui entraîne la formation d'ions, la liaison covalente résulte d'une mise en commun d'électrons.)

réducteur signifie que le magnésium a été le réducteur au cours de la réaction :

$$Mg + \frac{1}{2} O_2 \longrightarrow MgO$$

réducteur | oxydant

et que l'ion Cr^{3+} de Cr_2O_3 a été l'oxydant au cours de la réaction :

$$Cr_2O_3 + 2\,Al \longrightarrow Al_2O_3 + 2\,Cr$$

oxydant   réducteur

Une fois établi que les réactions d'oxydo-réduction sont des réactions entre un oxydant et un réducteur, on se rend compte que le réducteur est l'objet de l'oxydation (on dit que le **réducteur est oxydé**), et que l'oxydant est l'objet de la réduction (on dit que **l'oxydant est réduit**). Comme le réducteur perd des électrons et que l'oxydant en gagne, on en conclut que :

> une **oxydation** se traduit par une **perte d'électrons**,
> une **réduction** se traduit par un **gain d'électrons**.

À l'aide de la réaction entre le magnésium et le dioxygène, on peut résumer comme suit la signification des divers termes qui viennent d'être définis :

> la réaction d'oxydo-réduction suivante représente à la fois **l'oxydation du magnésium** et la **réduction du dioxygène** :
>
> $$Mg \qquad + \qquad \frac{1}{2} O_2 \qquad \longrightarrow \quad MgO$$
>
>   le **réducteur**   l'**oxydant**
> **perd des électrons**   **gagne des électrons**
>   et est **oxydé**   et est **réduit**

4.2. Nombre d'oxydation

Pour faciliter l'interprétation des réactions d'oxydo-réduction, on a mis au point un outil extrêmement utile appelé **nombre d'oxydation**. Ce nombre a été défini conformément aux conventions suivantes :

> - lorsqu'un élément est oxydé, son nombre d'oxydation augmente, et cette augmentation est égale au nombre d'électrons qu'il perd ;
> - lorsqu'un élément est réduit, son nombre d'oxydation diminue, et cette diminution est égale au nombre d'électrons qu'il gagne ;
> - on attribue le nombre d'oxydation 0 aux substances élémentaires (ex: Mg ou O_2), car on considère alors qu'il n'y a eu ni oxydation ni réduction.

Il résulte de ce qui précède que le nombre d'oxydation d'un élément se trouvant sous forme d'ion monoatomique est égal à la charge de l'ion. Ainsi, dans le composé MgO, le nombre d'oxydation du magnésium est égal à + 2 et celui de l'oxygène est égal à − 2. La détermination du nombre d'oxydation est toutefois un peu plus complexe lorsque l'élément est engagé dans un composé qui n'est pas un composé ionique, comme H_2O, HCl, HNO_3, etc. Considérons par exemple l'hydrogène et l'oxygène de la molécule H_2O. Tel qu'illustré par le diagramme donné ci-contre, où l'on fait apparaître les électrons périphériques de chaque atome, chaque liaison O−H est assurée par la mise en commun de l'électron de l'hydrogène et d'un électron de l'oxygène. On ne peut pas dire qu'il y ait eu perte ou gain d'électrons pour l'un ou l'autre atome, car il ne s'agit pas ici de liaisons ioniques. Cependant, l'oxygène est plus **électronégatif** que l'hydrogène (car l'oxygène possède un plus grand pouvoir attracteur pour les électrons), de sorte que le doublet d'électrons assurant chaque liaison O−H est plus rapproché de l'oxygène que de l'hydrogène. Dans un tel cas, on fixe le nombre d'oxydation en appliquant la convention suivante :

Diagramme de H_2O

> le (ou les) doublet(s) d'électrons assurant la (ou les) liaison(s) est (sont) attribué(s) à l'atome le plus électronégatif.

En conséquence, chaque atome d'hydrogène de la molécule H_2O est considéré comme ayant perdu un électron, ce qui correspond au nombre d'oxydation + 1 ; au contraire, l'atome d'oxygène est considéré comme ayant gagné deux électrons, ce qui correspond au nombre d'oxydation − 2. De même, dans le cas de la molécule NH_3, dont le diagramme est donné ci-contre, les trois doublets de liaison sont attribués à l'azote qui est le plus électronégatif : le nombre d'oxydation de l'azote dans cette molécule est donc égal à − 3 et celui de l'hydrogène est égal à + 1.

Diagramme de NH_3

L'application de la convention précédente suppose évidemment que l'on représente à chaque fois un diagramme semblable à ceux que nous avons donnés pour H_2O et NH_3. Le plus souvent, toutefois, il n'est pas nécessaire d'y avoir recours et l'on peut, dans un grand nombre de cas, déterminer le nombre d'oxydation des éléments à l'aide des règles qui suivent :

- **Le nombre d'oxydation de l'hydrogène est égal à + 1 dans la très grande majorité de ses composés.**
- **Le nombre d'oxydation de l'oxygène est égal à − 2 dans la très grande majorité de ses composés.**
- **Les alcalins (groupe IA) possèdent toujours le nombre d'oxydation + 1, et les alcalino-terreux (groupe IIA), le nombre d'oxydation + 2.**
- **Les métaux possèdent toujours un nombre d'oxydation positif.**
- La somme des nombres d'oxydation de chacun des atomes d'une molécule est égale à 0 lorsque cette molécule est neutre[30].
- La somme des nombres d'oxydation de chacun des atomes d'un ion polyatomique, comme SO_4^{2-}, NO_3^-, ClO_3^-, etc., est égale à la charge globale de l'ion[31].

30. **Exemple** : Considérons la molécule H_3PO_4. La somme des nombres d'oxydation de tous les atomes qui la composent est égale à 0 et, comme on connaît le nombre d'oxydation de l'hydrogène et celui de l'oxygène, on peut en déduire celui du phosphore, désigné par x dans l'équation suivante :

$$3(+1) + x + 4(-2) = 0$$

d'où

$$x = +5$$

31. **Remarque** : Considérons l'ion SO_4^{2-}. La somme des nombres d'oxydation de tous les atomes qui le composent est égale à − 2 et, comme on connaît le nombre d'oxydation de l'oxygène, on peut déduire celui du soufre, désigné par x dans l'équation suivante :

$$x + 4(-2) = -2$$

d'où

$$x = +6$$

4.3. Oxydants et réducteurs

Puisque l'oxydant gagne des électrons au cours d'une réaction d'oxydo-réduction, une espèce chimique sera un **bon oxydant** si elle renferme des **atomes avides d'électrons**. Les substances élémentaires telles que F_2, Cl_2, O_2, formés par les éléments situés à droite dans la classification (gaz nobles exceptés), sont de bons oxydants parce que les atomes de ces éléments captent facilement un (ou deux) électron(s) pour former des anions (ions négatifs). Également, les composés chimiques qui renferment un élément ayant un **nombre d'oxydation plus élevé** que le nombre d'oxydation le plus stable de cet élément sont de bons oxydants. Par exemple, le manganèse Mn peut prendre des nombres d'oxydation variant de 0 à + 7 et son nombre d'oxydation le plus stable est + 2: le composé $KMnO_4$ dans lequel le nombre d'oxydation du manganèse est + 7 est un bon oxydant, car le manganèse tend à gagner des électrons pour adopter le nombre d'oxydation + 2.

Réciproquement, puisque le réducteur perd des électrons au cours d'une réaction d'oxydo-réduction, une espèce chimique sera un **bon réducteur** si elle renferme des atomes qui **libèrent facilement leurs électrons**. À l'état métallique (c'est-à-dire à l'état non combiné) [32], les éléments situés à gauche dans la classification (Na, Mg, Ca, Mn, Fe, etc.) sont de bons réducteurs, parce que les atomes dont ils sont constitués retiennent faiblement leurs électrons de valence. Également, les composés chimiques qui renferment un élément ayant un **nombre d'oxydation plus bas** que le nombre d'oxydation le plus stable de cet élément sont de bons réducteurs. Par exemple, le carbone peut prendre des nombres d'oxydation variant de – 4 à + 4, et son nombre d'oxydation le plus stable est + 4 (sous forme de CO_2): le monoxyde de carbone CO dans lequel le nombre d'oxydation du carbone est + 2 est donc un bon réducteur.

32. **Remarque**: Il y a une grande différence entre le sodium non combiné Na et par exemple le sodium du composé NaCl. Le sodium du composé NaCl se trouve sous forme de Na^+: il a déjà perdu son électron de valence et ne peut en aucun cas être réducteur, car il n'a plus d'électrons à perdre.

QUESTIONS ET EXERCICES

1.1. Quel nom donne-t-on au nombre de protons que renferme un atome ?

1.2. Comment appelle-t-on une ligne horizontale de la classification périodique ?

1.3. Comment appelle-t-on une colonne verticale de la classification périodique ?

1.4. Comment appelle-t-on un ion possédant plus de protons que d'électrons ?

1.5. Comment appelle-t-on un ion possédant plus d'électrons que de protons ?

1.6. À qui doit-on la première réaction nucléaire ?

1.7. Comment s'appelle l'inventeur de la dynamite ?

1.8. Qu'est-ce qu'une molécule ?

1.9. Qu'est-ce qu'une réaction chimique ?

1.10. Comment appelle-t-on la propriété qu'ont certains atomes d'émettre un rayonnement issu de leur noyau ?

1.11. Qu'est-ce que le nombre de masse ?

1.12. Quelle est la caractéristique commune à tous les atomes d'un même élément ?

1.13. À qui doit-on l'énoncé de la théorie atomique ?

Dalton

1.14. À l'aide de quel instrument mesure-t-on les masses atomiques avec précision ?

1.15. Comment s'appellent les ions qui se dirigent vers l'électrode positive lors d'une électrolyse ?

anions

1.16. Comment appelle-t-on l'ensemble des pourcentages de chacun des isotopes naturels d'un élément ?

Composition isotopique

1.17. Sur quelle référence est basée l'échelle actuelle des masses atomiques ?

1.18. À qui doit-on la loi de conservation de la masse ?

Lavoisier

1.19. Quelle est la caractéristique fondamentale des composés chimiques qui les distingue des mélanges ?

composition invariable

1.20. Lorsqu'on décompose un composé métallique lors d'une électrolyse, à quelle électrode se dépose le métal ?

Cathode

1.21. Quelle est, en général, la particularité des éléments dont la masse atomique est connue avec le plus de précision ?

1.22. Quelles découvertes doit-on à Irène Curie et Frédéric Joliot ?

1.23. Qu'entend-on par isotopes ?

1.24. Qu'est-ce qu'un corps simple ?

1.25. Qu'est-ce que la biomasse ?

1.26. Énoncez l'hypothèse d'Avogadro.

1.27. Comment peut-on définir un réducteur ?

1.28. Quels sont les principaux types de particules émises par les différents isotopes radioactifs ?

1.29. Combien d'électrons possèdent chacune des espèces suivantes : O^{2-}, F^-, Ne, Na^+, Mg^{2+}, Al^{3+}.

1.30. Quelle est la valeur de la charge de l'électron ?

1.31. Quelle est la valeur de la constante d'Avogadro ?

1.32. Combien d'atomes une molécule $(CH_3)_3COH$ renferme-t-elle ?

1.33. Combien de protons un ion NH_4^+ renferme-t-il ?

1.34. Combien d'électrons un ion SO_4^{2-} renferme-t-il ?

1.35. Quelle est la charge d'une mole d'électrons ?

1.36. Quelle est la masse d'une mole de protons ?

1.37. Classez les isotopes suivants par ordre croissant du nombre de neutrons : ^{235}U, ^{238}U, ^{239}Pu, ^{232}Th, ^{231}Pa, ^{235}Pa.

1.38. Lorsque l'isotope ^{210}Po se désintègre par radioactivité α, quel isotope en résulte-t-il ?

1.39. Lorsque l'isotope ^{60}Co se désintègre par radioactivité β^-, quel isotope en résulte-t-il ?

1.40. Lorsque l'isotope ^{15}O se désintègre par radioactivité β^+, quel isotope en résulte-t-il ?

1.41. Les principaux isotopes du fluor sont ^{16}F, ^{17}F, ^{18}F, ^{19}F, ^{20}F, ^{21}F, ^{22}F, ^{23}F. Sachant que l'unique isotope stable est celui qui possède 19 nucléons, quels sont ceux qui devraient être radioactifs β^-, et quels sont ceux qui devraient être radioactifs β^+ ?

1.42. Complétez les équations suivantes :

a) $^{210}_{82}Pb \rightarrow\ ^{210}_{83}Bi\ +\ \underline{\hspace{1cm}}$
b) $^{222}_{86}Rn \rightarrow\ ^{218}_{84}Po\ +\ \underline{\hspace{1cm}}$
c) $^{31}_{16}S \rightarrow\ ^{31}_{15}P\ +\ \underline{\hspace{1cm}}$
d) $^{10}_{5}B\ +\ ^{1}_{0}n \rightarrow\ \underline{\hspace{1cm}}\ +\ \alpha$
e) $^{63}_{29}Cu\ +\ ^{1}_{1}p \rightarrow\ \underline{\hspace{1cm}}\ +\ ^{25}_{13}Al\ +\ ^{1}_{0}n$

1.43. Les énoncés suivants concernant la radioactivité sont-ils vrais ou faux ?

a) lorsque l'un des isotopes d'un élément est radioactif, tous les autres isotopes de cet élément le sont aussi ;

b) lorsqu'un isotope est radioactifs β^-, le numéro atomique augmente d'une unité après l'émission de la particule ;

c) lorsqu'un noyau émet un positron, il possède un neutron de plus et un proton de moins après l'émission de la particule ;

d) lorsqu'un noyau émet un positron, son nombre de masse ne varie pas lors de l'émission de la particule ;

e) lorsqu'un isotope est radioactif β^-, il est presque toujours aussi radioactif β^+ ;

f) le technétium et le prométhéum sont les deux seuls éléments de numéro atomique inférieur à 92 dont on ne trouve aucun isotope dans la nature ;

g) dans les noyaux stables, le nombre de neutrons est toujours à peu près égal au nombre de protons ;

h) les éléments dont le numéro atomique est compris entre 84 et 92 sont présents dans la nature, bien que tous leurs isotopes soient radioactifs.

1.44. Les énoncés suivants concernant l'oxydation et la réduction sont-ils vrais ou faux ?

a) une oxydation est une perte d'électrons ;

b) lors d'une réaction d'oxydo-réduction, l'oxydant est celui qui perd des électrons ;

c) comme les éléments de la gauche de la classification perdent facilement leurs électrons de valence, on peut s'attendre à ce qu'ils soient de bons réducteurs ;

d) un oxydant est un élément apte à gagner des électrons ;

e) lors d'une réaction d'oxydo-réduction, l'oxydant cède des électrons au réducteur ;

f) lors d'une réaction d'oxydo-réduction, le réducteur voit son nombre d'oxydation augmenter ;

g) les halogènes sont de bons oxydants ;

h) lorsqu'un élément gagne des électrons au cours d'une réaction, on dit qu'il a été réduit.

1.45. Équilibrez les équations chimiques suivantes :

a) $C_6H_5NH_2 + O_2 \rightarrow CO_2 + H_2O + NO$

b) $CH_3(CH_2)_{16}COONa + Mg^{2+} \rightarrow$
$$[CH_3(CH_2)_{16}COO]_2Mg + Na^+$$

c) $Al_2O_3 + NaOH + H_2O \rightarrow Na[Al(OH)_4]$

d) $C_2H_5OH + O_2 \rightarrow CO_2 + H_2O$

e) $IO_3^- + SO_2 + H_2O \rightarrow I^- + H_2SO_4$

f) $XeF_6 + H_2O \rightarrow XeO_3 + HF$

g) $Ca_3(PO_4)_2 + SiO_2 + C \rightarrow P_4 + CaSiO_3 + CO$

h) $As_2S_3 + S_2^{2-} \rightarrow AsS_4^{3-} + S$

i) $Fe(OH)_2 + O_2 + H_2O \rightarrow Fe(OH)_3$

1.46. Lesquelles des réactions suivantes ne sont pas correctement équilibrées ?

a) $C_{16}H_{34} + 2H_2 \rightarrow 2C_7H_{16} + 2CH_4$

b) $C_7H_{16} + \frac{19}{2}O_2 \rightarrow 4CO_2 + 3CO + 8H_2O$

c) $3NO_2 + H_2O \rightarrow 2HNO_3 + NO$

d) $Cr_2O_7^{2-} + 2H_2O_2 + 6H_3O^+ \rightarrow 2Cr^{3+} + O_2 + 15H_2O$

e) $2Cr(OH)_3 + 3H_2O_2 + 2OH^- \rightarrow 2CrO_4^{2-} + 7H_2O$

f) $2IO_3^- + 6I^- + 8H_3O^+ \rightarrow 4I_2 + 12H_2O$

1.47. Parmi les espèces chimiques suivantes :

$$C_2H_5OH, H_2, O_2, HNO_3, NO, NO_2,$$
$$N_2, C_3H_5N_3O_9, KClO_3, CH_3OH, CO, C_{18}H_{34}$$

a) laquelle est en partie responsable de l'acidité des pluies ?

b) laquelle est le principal constituant de l'air ?

c) laquelle peut être utilisée au laboratoire pour préparer du dioxygène ?

d) laquelle est un explosif ?

e) lesquelles sont en partie responsables de la formation du *smog photochimique* ?

f) laquelle est un hydrocarbure ?

g) laquelle peut être obtenue par fermentation des ordures ménagères ou des restes de l'exploitation forestière ?

h) laquelle se fixe le plus facilement sur l'hémoglobine du sang ?

i) lesquelles sont des composés chimiques ?

1.48. Écrivez et équilibrez la réaction :

a) de combustion complète de l'octane C_8H_{18} ;

b) de combustion incomplète de l'octane au cours de laquelle 75% du carbone se retrouve au nombre d'oxydation $+2$ dans les produits de réaction ;

c) de combustion complète du propanol C_3H_7OH ;

d) de combustion complète du glucose $C_6H_{12}O_6$;

e) d'oxydation du calcium par le dioxygène O_2 ;

f) de réduction de Mn_3O_4 par l'aluminium, sachant que l'aluminium se retrouve au nombre d'oxydation $+3$ et le manganèse au nombre d'oxydation 0 dans les produits de réaction ;

g) de préparation du molybdène à l'état métallique par action de H_2 sur MoO_3.

1.49. Quelle est la masse approximative de carbone contenue dans $4,0 \times 10^3$ kg de tourbe ?

1.50. De quelle masse de houille a-t-on besoin pour disposer de $7,0 \times 10^3$ mol de carbone ?

1.51. Un échantillon d'oxyde de chrome pur ayant une masse de 3,741 g renferme 2,560 g de chrome. En déduire :

a) le nombre de moles de chrome contenues dans l'échantillon ;
b) le nombre de moles d'oxygène contenues dans l'échantillon ;
c) le nombre de moles d'oxygène combinées à une mole de chrome ;
d) la formule chimique de cet oxyde.

1.52. Un échantillon de sulfure de cuivre pur renferme 1,472 g de cuivre. Sachant que la masse de cet échantillon est de 1,843 g, trouvez la formule chimique de ce sulfure.

1.53. L'analyse d'un composé formé d'oxygène et d'un élément inconnu X a révélé que 0,743 g de l'élément X étaient combinés à 0,115 g d'oxygène dans ce composé. En admettant que la formule de ce composé est XO_2, quel est le numéro atomique de l'élément X ?

1.54. Un hydrocarbure renferme 88,2% en masse de carbone. Sachant que chaque molécule de cet hydrocarbure contient 5 atomes de carbone, trouvez sa formule chimique.

1.55. Quel est le pourcentage en masse de phosphore contenu dans chacun des composés suivants :

a) $Ca_3(PO_4)_2$ b) $Ca(H_2PO_4)_2$ c) $NH_4H_2PO_4$

1.56. Le silicium est constitué de 92,23% de l'isotope ^{28}Si de masse atomique 27,97693, de 4,67% de l'isotope ^{29}Si de masse atomique 28,97649, et de 3,10% de l'isotope ^{30}Si de masse atomique 29,97376. En déduire la masse atomique moyenne du silicium naturel.

1.57. Le chlore est constitué de 75,77% de l'isotope ^{35}Cl et de 24,23% de l'isotope ^{37}Cl. Sachant que la masse atomique de l'isotope ^{35}Cl est de 34,96885, calculez la masse atomique de l'isotope ^{37}Cl (en utilisant la masse atomique moyenne du chlore donnée à la première page).

1.58. Le cuivre naturel est constitué de l'isotope ^{63}Cu de masse atomique 62,9298, et de l'isotope ^{65}Cu de masse atomique 64,9278. En déduire le pourcentage de chacun des deux isotopes (en utilisant la masse atomique moyenne de cuivre donnée à la première page).

1.59. Lequel des énoncés suivants est faux :

a) 1 mol de l'isotope ^{17}O contient 9 mol de neutrons ;

b) 1 mol d'ions Na^+ contient autant de protons qu'une mole d'atomes Na ;
c) 27,0 g de C_3H_8 contiennent 1,84 mol d'atomes de carbone ;
d) $2,0 \times 10^{-3}$ g de CO_2 contiennent $5,5 \times 10^{19}$ atomes d'oxygène ;
e) $9,0 \times 10^{15}$ molécules H_2O_2 contiennent $4,8 \times 10^{-7}$ g d'hydrogène.

1.60. Dans 4,51 kg d'octasoufre (S_8) :

a) combien y a-t-il de molécules ? $1,06 \times 10^{25}$
b) combien y a-t-il d'atomes ? $8,47 \times 10^{25}$

1.61. Combien y a-t-il de moles de protons dans :

a) 1,0 mol d'ions Al^{3+}
b) $2,7 \times 10^{22}$ ions Cl^-
c) $9,8 \times 10^{-2}$ g de $Ca_3(PO_4)_2$
d) 5,6 mol d'ions $[Fe(CN)_6]^{3-}$

1.62. Combien y a-t-il d'électrons dans :

a) 1,0 mol d'ions Mn^{3+}
b) 6,53 mol d'ions $H_2PO_4^{2-}$
c) 0,37 g de $CH_3(CH_2)_4COOH$

1.63. Combien y a-t-il de moles d'atomes d'hydrogène dans :

a) 1 mol de $(CH_3)_2SO_2$
b) $2,83 \times 10^3$ kg de $C_6H_4(NH_2)_2$

1.64. Sachant que dans les conditions où l'on a mesuré son volume 1,00 mol de dioxygène (O_2) occupe 24,5 dm^3, calculez :

a) la masse de 0,74 dm^3 de dioxygène ;
b) le nombre de molécules contenues dans 1,72 dm^3 de dioxygène ;
c) le nombre d'atomes contenus dans 6,71 dm^3 de dioxygène.

1.65. Quelle est la masse de :

a) un ion SO_4^{2-} b) 3,9 μmol d'ions K^+
c) 1,00 mol d'ions $[Co(NO_2)_6]^{3-}$

1.66. Parmi les espèces chimiques suivantes :
BrO_2, Br_2, $MgBr_2$, $NaBrO_3$, Br_2O, BrO_4^-, $HBrO$, BrO_3

a) quelle est celle dans laquelle le nombre d'oxydation du brome est le plus élevé, et quel est ce nombre d'oxydation ?

b) quelle est celle dans laquelle le nombre d'oxydation du brome est le plus faible, et quel est ce nombre d'oxydation ?

1.67. Quel est le nombre d'oxydation de l'élément alcalino-terreux dans les divers composés suivants :

BaO, $Ca(OH)_2$, $MgCO_3$, $Sr(NO_3)_2$, $Ca_3(PO_4)_2$, MgF_2, $BaSO_4$

1.68. Quels sont les divers <u>nombres d'oxydation</u> adoptés par le soufre dans les espèces chimiques suivantes :

$CaSO_4$, SO_2, K_2S, S_8, SO_3, $NaHSO_3$, S^{2-}, $Na_2S_2O_3$, SO_4^{2-}, $S_2O_8^{2-}$

1.69. Parmi les équations chimiques suivantes :

1. $NaNO_3 + H_2SO_4 \rightarrow NaHSO_4 + HNO_3$
2. $2\,H_2S + 3\,O_2 \rightarrow 2\,H_2O + 2\,SO_2$
3. $S_2O_8^{2-} + 3\,I^- \rightarrow 2\,SO_4^{2-} + I_3^-$
4. $Na_2SO_3 + 2\,HCl \rightarrow 2\,NaCl + SO_2 + H_2O$
5. $SO_3 + H_2O \rightarrow H_2SO_4$
6. $SO_2 + \frac{1}{2}\,O_2 \rightarrow SO_3$

7. $Cu + 2\,H_2SO_4 \rightarrow CuSO_4 + SO_2 + 2\,H_2O$
8. $I_2 + SO_3^{2-} + H_2O \rightarrow 2\,HI + SO_4^{2-}$

a) lesquelles ne symbolisent pas des réactions d'oxydo-réduction ?
b) dans quelles réactions le soufre se comporte-t-il en réducteur ?
c) dans quelles réactions le soufre se comporte-t-il en oxydant ?
d) le nombre d'oxydation du soufre était-il plutôt élevé ou plutôt faible lorsqu'il s'est comporté en réducteur ?
e) le nombre d'oxydation du soufre était-il plutôt élevé ou plutôt faible lorsqu'il s'est comporté en oxydant ?

1.70. On considère les composés suivants de l'azote :
HNO_3, NO, NH_3, N_2O, $NaNO_2$, N_2O_4, N_2H_4

a) classez ces composés selon l'ordre croissant du nombre d'oxydation de l'azote ;
b) lequel de ces composés devrait à priori avoir les meilleures propriétés oxydantes ?
c) lequel de ces composés devrait à priori avoir les meilleurs propriétés réductrices ?

Nomenclature systématique des composés inorganiques 2

On distingue en chimie deux grandes catégories de composés : les **composés organiques** et les **composés inorganiques**. Les composés organiques sont les composés à base de **carbone**, d'**hydrogène**, d'**oxygène** et d'**azote**. Ils doivent leur nom au fait qu'on les a d'abord trouvés dans les organismes vivants mais, depuis, les chimistes organiciens ont synthétisé une foule de composés organiques que l'on ne rencontre pas dans les organismes vivants. Il existe un nombre considérable de composés organiques, le carbone ayant la propriété tout à fait exceptionnelle de se lier à lui-même pour former des chaînes d'atomes de longueurs variables. Toutes les longueurs sont possibles, depuis un atome de carbone jusqu'à des dizaines de milliers ou même des centaines de milliers d'atomes de carbone[1] : de plus, des chaînes d'atomes de carbone secondaires (*ramifications*), de longueur et de structure variables, peuvent être liées à la chaîne principale. S'ajoutent à cela divers **groupements fonctionnels**, comme le groupement acide (— COOH), le groupement alcool (— OH), le groupement amine (— NH$_2$, entre autres), qui peuvent aussi se greffer (ou s'insérer) à la chaîne d'atomes principale ou à une chaîne d'atomes secondaire, et cela en nombre variable. Il résulte de cette profusion de possibilités une variété immense d'agencements distincts des atomes et donc une variété immense de composés organiques différents. Il n'est pas surprenant, dans ces conditions, que les composés organiques représentent 90% de tous les composés chimiques.

L'énorme variété des composés organiques justifie particulièrement le recours à une nomenclature systématique, conçue de manière à réduire au maximum la diversité des noms employés et, par le fait même, l'effort de mémoire à fournir pour connaître le nom d'un grand nombre de composés. Cependant, même si les composés inorganiques ne représentent que 10% des composés chimiques, il y en a encore suffisamment pour que l'emploi d'une nomenclature systématique soit également utile dans leur cas. Nous donnons donc dans ce chapitre les principales règles de la **nomenclature systématique des composés inorganiques**. Ces règles — fondées sur les mêmes principes que celles de la nomenclature des composés organiques — sont tirées des règles définitives de 1970 établies par la Commission de nomenclature de chimie inorganique de l'Union internationale de chimie pure et appliquée. Comme on pourra le constater, la nomenclature systématique

1. **Remarque** : Les composés constitués de ces molécules géantes, appelées **macromolécules**, sont des **polymères**. Il y a des polymères synthétisés par la nature, comme les protéines, les acides nucléiques, la cellulose, l'amidon, etc., et des polymères synthétisés par l'industrie chimique, comme les plastiques, les textiles synthétiques, les peintures, les vernis, les colles, le plexiglas, la mousse de polystyrène, le caoutchouc synthétique, les revêtements anti-adhésifs (*téflon*), etc.

conduit à des noms souvent beaucoup plus longs que la nomenclature traditionnelle mais, en échange de la lourdeur, elle offre l'avantage de réduire de façon très appréciable l'effort de mémoire.

1. Composés binaires

Les composés binaires sont les plus faciles à nommer, car ils sont constitués de **seulement deux éléments différents** (exemples : HCl, CO_2, KI) :

> **Règle 1 :** Dans le cas où il s'agit d'un composé ionique, l'ion positif (*cation*) est toujours placé en tête dans l'écriture de la formule [2].

2. Exemples (règle 1) : $NaCl$, K_2O, CaF_2

> **Règle 2 :** Dans le cas d'un composé binaire covalent, le constituant à placer en tête dans l'écriture de la formule est celui qui figure le premier dans la liste suivante [3] : Rn, Xe, Kr, B, Si, C, Sb, As, P, N, H, Te, Se, S, At, I, Br, Cl, O, F.

3. Exemples (règle 2) : XeF_2, NH_3, H_2S, Cl_2O, OF_2

> **Règle 3 :** Qu'il s'agisse ou non d'un composé ionique, l'élément que l'on écrit en premier dans la formule est nommé en second, et sans être modifié, dans le nom du composé ; par contre, l'élément que l'on écrit en second dans la formule est nommé en premier et on lui ajoute le suffixe **-ure** (ou **-yde** dans le cas de l'oxygène) [4].

4. Exemples (règle 3) :
$NaCl$: chlorure de sodium
HCl : chlorure d'hydrogène
CaO : oxyde de calcium
BN : nitrure de bore
SiC : carbure de silicium

Il est à noter que dans le cas de l'hydrogène, on n'écrit pas hydrogénure mais hydrure. Exemple : NaH : hydrure de sodium.

> **Règle 4 :** Pour indiquer les proportions stœchiométriques des constituants, on se sert des préfixes énumérés ci-dessous et on les ajoute aux noms des éléments auxquels ils se rapportent [5] : **mono, di, tri, tétra, penta, hexa, hepta, octa, ennéa** (ou **nona**), **déca, hendéca** (ou **undéca**), **dodéca.**

5. Exemples (règle 4) :
CO_2 : dioxyde de carbone
SO_3 : trioxyde de soufre
N_2O : oxyde de diazote
N_2O_4 : tétraoxyde de diazote
S_2Cl_2 : dichlorure de disoufre
P_2O_5 : pentaoxyde de diphosphore
H_2O_2 : dioxyde de dihydrogène
OF_2 : difluorure d'oxygène
Cl_2O : oxyde de dichlore

Ces préfixes conviennent jusqu'au nombre 12, et au-delà on les remplace par des nombres en chiffres arabes.

Il est à noter que le préfixe mono peut être omis dans le cas où il ne risque pas d'y avoir ambiguïté.

Mentionnons aussi que quelques noms très connus continuent d'être acceptés, bien qu'ils ne soient pas conformes à la nomenclature systématique. Citons notamment :

H_2O que l'on nomme toujours **eau**, mais qui, selon la nomenclature systématique, s'appelle oxyde de dihydrogène ;

NH_3 que l'on nomme toujours **ammoniac**, mais qui, selon la nomenclature systématique, s'appelle trihydrure d'azote.

Notons enfin que les préfixes donnés à la règle 4 servent également à nommer les **corps simples** (qui, par opposition aux corps composés, sont formés d'une seule sorte d'atomes) et les **atomes à l'état non combiné**. Exemples :

$$H : \text{monohydrogène} \qquad O_2 : \text{dioxygène}$$
$$H_2 : \text{dihydrogène} \qquad O_3 : \text{trioxygène}$$

> **Règle 4a :** Pour indiquer, indirectement, les proportions stœchiométriques des constituants, on peut également avoir recours au nombre d'oxydation : le nombre d'oxydation de l'élément concerné est placé entre parenthèses, immédiatement après le nom de l'élément, et peut être écrit soit en chiffres romains soit en chiffres arabes accompagnés du signe convenable [6].

2. Ions monoatomiques et polyatomiques

Qu'il s'agisse d'un cation ou d'un anion, ou encore d'un ion monoatomique ou d'un ion polyatomique, on doit toujours employer le mot **ion** (comme dans les divers exemples donnés ci-dessous) pour bien souligner qu'il s'agit d'un atome ou d'un groupe d'atomes chargé.

2.1. Cations

> **Règle 5 :** On nomme les cations monoatomiques par le nom de l'élément sans le modifier ; dans le cas des éléments susceptibles d'avoir différents nombres d'oxydation, il faut spécifier ce dernier entre parenthèses [7].

À noter, en ce qui concerne l'écriture de la charge de l'ion, que l'on doit écrire par exemple Cu^{2+} et non Cu^{+2}.

Les cations polyatomiques étant souvent assez complexes, nous nous contenterons de donner le nom des deux plus courants, à savoir :

NH_4^+ : ion ammonium
H_3O^+ : ion oxonium

2.2. Anions

> **Règle 6 :** On nomme les anions monoatomiques en se servant du nom de l'élément auquel on ajoute le suffixe **-ure**, ou **-yde** dans le cas de l'oxygène (après abréviation dans certains cas, comme pour l'hydrogène par exemple) [8].

Certains anions polyatomiques ont cependant un nom se terminant en **-ure** ou en **-yde** et, pour fins de nomenclature, on les traite comme

6. **Exemples** (règle 4a) :
$FeCl_2$: chlorure de fer (II) ou chlorure de fer (+ 2)
MnO_2 : oxyde de manganèse (IV) ou oxyde de manganèse (+ 4)
P_2O_5 : oxyde de phosphore (V) ou oxyde de phosphore (+ 5)

7. **Exemples** (règle 5) :
Cu^+ : ion cuivre (I)
Cu^{2+} : ion cuivre (II)

8. **Exemples** (règle 6) :
H^- : ion hydrure
Cl^- : ion chlorure
S^{2-} : ion sulfure
O^{2-} : ion oxyde

9. **Remarque**: À ne pas confondre avec *hy-droxyle* qui désigne le radical OH **non chargé**, c'est-à-dire possédant un électron célibataire.

s'il s'agissait d'anions monoatomiques. Nous mentionnerons seulement les cas de:

OH^- : ion **hydroxyde** [9]
CN^- : ion cyanure

> **Règle 7**: Les noms des autres anions polyatomiques sont formés à partir du nom de l'atome central auquel on ajoute le suffixe **-ate**; de plus, pour nommer les atomes liés à l'atome central, on ajoute la terminaison **-o** au nom de l'élément concerné (exemples: chlor**o** pour le chlore, **ox**o pour l'oxygène) et, pour indiquer le nombre de ces atomes, on emploie les mêmes préfixes que ceux déjà énumérés à la règle 4 [10].

10. **Exemples** (règle 7):

SO_4^{2-} : ion tétraoxosulfate (VI)
SO_3^{2-} : ion trioxosulfate (IV)
NO_3^- : ion trioxonitrate (V)
NO_2^- : ion dioxonitrate (III)
ClO^- : ion monooxochlorate (I)
ClO_2^- : ion dioxochlorate (III)
ClO_3^- : ion trioxochlorate (V)
ClO_4^- : ion tétraoxochlorate (VII)
PO_4^{3-} : ion tétraoxophosphate (V)
PCl_6^- : ion hexachlorophosphate (V)
CO_3^{2-} : ion trioxocarbonate (IV)
$[Fe(CN)_6]^{4-}$: ion hexacyanoferrate (II)
$[Fe(CN)_6]^{3-}$: ion hexacyanoferrate (III)

Pour qu'il soit possible de trouver la charge de l'ion à partir du nom comme seule information, il est nécessaire d'indiquer le nombre d'oxydation de l'atome central; comme dans les cas précédents, ce nombre d'oxydation se place entre parenthèses (en chiffres romains ou en chiffres arabes) immédiatement après le nom de l'élément concerné.

> **Règle 8**: Pour les anions polyatomiques dans lesquels il y a plus d'un atome jouant le rôle d'atome central, comme par exemple $S_2O_3^{2-}$, $P_2O_7^{4-}$, on fait précéder le nom de l'atome central du préfixe indiquant le nombre d'atomes (en employant toujours les mêmes préfixes que ceux de la règle 4) [11].

11. **Exemples** (règle 8):

$S_2O_3^{2-}$: ion trioxodisulfate (II)
$P_2O_7^{4-}$: ion heptaoxodiphosphate (V)
$Cr_2O_7^{2-}$: ion heptaoxodichromate (VI)
$P_3O_{10}^{5-}$: ion décaoxotriphosphate (V)

Dans les cas où le contexte est tel qu'il n'y a pas de confusion possible, on peut abréger le nom de l'ion; par exemple, on pourra se contenter d'écrire:

pour SO_4^{2-} : ion sulfate au lieu de tétraoxosulfate
pour NO_3^- : ion nitrate au lieu de trioxonitrate
pour CO_3^{2-} : ion carbonate au lieu de trioxocarbonate
pour PO_4^{3-} : ion phosphate au lieu de tétraoxophosphate

Pour illustrer la différence entre la nomenclature traditionnelle et la nomenclature systématique présentée ici, voici les noms, selon la nomenclature traditionnelle, de quelques anions relativement courants:

NO_2^-	: ion nitrite	PO_4^{3-}	: ion orthophosphate
NO_3^-	: ion nitrate	$P_2O_7^{4-}$	: ion pyrophosphate
SO_3^{2-}	: ion sulfite	ClO^-	: ion hypochlorite
SO_4^{2-}	: ion sulfate	ClO_2^-	: ion chlorite
$S_2O_3^{2-}$	: ion thiosulfate	ClO_3^-	: ion chlorate
$S_2O_8^{2-}$	: ion peroxodisulfate	ClO_4^-	: ion perchlorate

On constate que, selon la nomenclature traditionnelle, les anions formés de nombres différents d'atomes des mêmes éléments (comme ClO^-, ClO_2^-, ClO_3^-, ClO_4^-) portent des noms différents; par contre, selon la nomenclature systématique, les noms de ces anions ne diffèrent que par un (ou plusieurs) préfixes.

> **Règle 9 :** Dans le cas où les atomes liés à l'atome central ne sont pas tous des atomes d'un même élément, on les nomme par ordre alphabétique, en faisant toujours précéder leur nom du préfixe convenable [12].

Cette règle s'applique en particulier aux anions polyatomiques contenant de l'hydrogène. Exemples :

HSO_4^- : ion hydrogénotétraoxosulfate (VI)
$H_2PO_4^-$: ion dihydrogénotétraoxophosphate (V)
$H_2P_2O_6^{2-}$: ion dihydrogénohexaoxodiphosphate (IV)

3. Sels

Historiquement, on a donné le nom de **sel** à l'un des produits résultant de la réaction de neutralisation d'un acide par une base, l'autre produit étant H_2O. Ainsi, $NaCl$, Na_2S, Na_3PO_4, K_2SO_4, $Ca(NO_3)_2$ sont des sels résultant des réactions de neutralisation suivantes :

$$HCl + NaOH \longrightarrow NaCl + H_2O$$
$$H_2S + 2\,NaOH \longrightarrow Na_2S + 2\,H_2O$$
$$H_3PO_4 + 3\,NaOH \longrightarrow Na_3PO_4 + 3\,H_2O$$
$$H_2SO_4 + 2\,KOH \longrightarrow K_2SO_4 + 2\,H_2O$$
$$2\,HNO_3 + Ca(OH)_2 \longrightarrow Ca(NO_3)_2 + 2\,H_2O$$

Par la suite, on s'est rendu compte que ces divers sels étaient en fait des composés ioniques formés d'un cation issu de l'hydroxyde et d'un anion issu de l'acide. On a donc généralisé le terme sel, et celui-ci est employé à l'heure actuelle pour désigner un **composé ionique.**

Pour les sels simples (ne contenant qu'une seule catégorie de cations et qu'une seule catégorie d'anions) auxquels nous nous limiterons ici, les règles de nomenclature sont fondées sur les mêmes principes que les règles de nomenclature des composés binaires ; d'ailleurs, les composés ioniques binaires sont eux-mêmes des sels.

> **Règle 10 :** Pour écrire la formule chimique d'un sel, on place toujours le cation en tête et l'anion en second ; par contre, pour former le nom d'un sel, on nomme toujours l'anion en premier et le cation en second [13].

> **Règle 11 :** Pour indiquer le nombre d'anions polyatomiques contenus dans la formule, on fait précéder l'ensemble du nom de l'anion, placé entre parenthèses, des nombres multiplicatifs **bis, tris, tétrakis,** etc. [14].

4. Acides

Préciser ce que l'on entend exactement par acide (et par base) en chimie n'est pas très simple, car ce concept a beaucoup évolué au cours des années. L'une des premières théories concernant les acides a été celle d'Arrhénius qui définissait un acide comme une substance

12. **Exemple** (règle 9) :
$PF_2O_2^-$: ion difluorodioxophosphate (V)

13. **Exemples** (règle 10) :
$CaCO_3$: trioxocarbonate de calcium
Na_2SO_4 : tétraoxosulfate de disodium
K_3PO_4 : tétraoxophosphate de tripotassium

14. **Exemples** (règle 11) :
$Ca_3(PO_4)_2$: bis(tétraoxophosphate) de tricalcium
$Mg(NO_3)_2$: bis(trioxonitrate) de magnésium
$Al_2(SO_4)_3$: tris(tétraoxosulfate) de dialuminium

15. Remarque : Selon la théorie d'Arrhénius, une base est une substance capable, en solution dans l'eau, de se dissocier en fournissant des ions OH^-; le comportement basique de NaOH se traduit alors par la réaction :

$$NaOH \xrightarrow[\text{aqueuse}]{\text{solution}} Na^+ + OH^-$$

D'après cette théorie, la formation de H_2O lors de la réaction de neutralisation d'un acide par une base résulterait de la combinaison de l'espèce H^+, fournie par l'acide, et de l'espèce OH^-, fournie par la base.

contenant de l'hydrogène et capable, en solution dans l'eau, de se dissocier en libérant des ions H^+. Selon cette théorie, le comportement acide de HCl se traduit par la réaction [15] :

$$HCl \xrightarrow[\text{aqueuse}]{\text{solution}} H^+ + Cl^-$$

Ce premier concept de la notion d'acide a été abandonné et remplacé par celui de Brønsted-Lowry selon lequel **un acide est un donneur de protons par opposition à une base qui est un accepteur de protons.** Selon ce deuxième concept, un acide ne peut se manifester sans la présence d'une base, et la dissociation de HCl dans l'eau est considérée alors comme le résultat de la réaction suivante :

$$HCl + H_2O \rightarrow H_3O^+ + Cl^-$$

Au cours de cette réaction, HCl s'est comporté comme un acide, et H_2O comme une base. La définition des acides de Brønsted-Lowry englobe les acides d'Arrhénius — comme HCl, HNO_3, H_2SO_4, etc. — et, également, des ions tels que NH_4^+, HSO_4^-, etc. qui peuvent aussi être donneurs de protons comme le montrent les réactions suivantes :

$$NH_4^+ + H_2O \rightarrow NH_3 + H_3O^+$$
$$HSO_4^- + H_2O \rightarrow SO_4^{2-} + H_3O^+$$

Il y a enfin une définition encore plus générale des acides, que l'on doit à Lewis, selon laquelle **un acide est un accepteur de doublet(s) d'électrons, et une base un donneur de doublet(s) d'électrons.** D'après cette définition, le trifluorure de bore BF_3 est un acide (alors qu'il ne contient pas d'hydrogène), car il est accepteur d'un doublet d'électrons et peut de ce fait se lier à la base NH_3, munie d'un doublet libre, pour former le composé $BF_3 \cdot NH_3$:

$$
\begin{array}{ccccccccc}
F & & H & & & F & & H & \\
| & & | & & & | & & | & \\
F-B & + & :N-H & \rightarrow & F-B & - & N & - & H \\
| & & | & & & | & & | & \\
F & & H & & & F & & H &
\end{array}
$$

La liaison entre BF_3 et NH_3 est une *liaison de coordinence* assurée par le doublet de l'azote.

Les précisions fournies ci-dessus permettent de comprendre que l'emploi du mot acide peut s'avérer ambigu si l'on ne précise pas à quelle théorie des acides on se réfère. C'est pour cela que les recommandations de l'Union internationale de chimie pure et appliquée visent à restreindre le plus possible l'emploi du mot acide pour fins de nomenclature. Les règles de la nomenclature systématique permettent d'ailleurs de nommer les différentes espèces qui peuvent être considérées comme des acides, y compris les acides au sens de la théorie d'Arrhénius tels que HCl, HNO_3, H_2SO_4, H_3PO_4, etc. Bien que ces derniers ne soient pas des composés ioniques, on les nomme **en traitant l'hydrogène comme s'il s'agissait d'un métal.** L'observation des équations de neutralisation acide-base données à la page 41 conduit en effet à penser que, lors de ces neutralisations, tout se passe comme si le sel formé provenait du remplacement de l'hydrogène de l'acide par le métal de la base. En réalité cependant, le sel provient de l'association du cation fourni par l'hydroxyde et de l'anion fourni par l'acide, lorsque ces derniers sont mis en solution aqueuse (car de telles réactions s'effectuent normalement en solution aqueuse). De toute manière, **il existe une similitude évidente entre la formule de l'acide et la formule du sel dérivant de cet acide**. C'est pour cette raison que l'on peut, sans difficulté, nommer les acides en utilisant les mêmes règles que pour nommer les sels [16].

5. Sels acides

Les sels acides sont des sels constitués d'un cation lié à un anion renfermant de l'hydrogène [17] comme $NaHSO_4$, $CaHPO_4$, $Mg(H_2PO_4)_2$, $KHCO_3$, $Ba(HCO_3)_2$. Leurs noms se forment comme ceux des sels qui ne sont pas acides, c'est-à-dire en nommant **l'anion en premier et le cation en second** [18]. Il convient de bien noter que **l'hydrogène fait partie de l'anion**, ainsi :

$NaHSO_4$ est constitué du cation Na^+ et de l'anion HSO_4^-
$CaHPO_4$ est constitué du cation Ca^{2+} et de l'anion HPO_4^{2-}
$Mg(H_2PO_4)_2$ est constitué du cation Mg^{2+} et de l'anion $H_2PO_4^-$

16. Exemples :

HF	: fluorure d'hydrogène
HCl	: chlorure d'hydrogène
HBr	: bromure d'hydrogène
HI	: iodure d'hydrogène
H_2S	: sulfure de dihydrogène
HCN	: cyanure d'hydrogène
HNO_3	: trioxonitrate d'hydrogène
HNO_2	: dioxonitrate d'hydrogène
H_2SO_4	: tétraoxosulfate de dihydrogène
H_2SO_3	: trioxosulfate de dihydrogène
H_3PO_4	: tétraoxophosphate de trihydrogène
$H_4P_2O_7$	: heptaoxodiphosphate de tétrahydrogène

17. Remarque : On peut les considérer comme résultant de la neutralisation partielle d'un **polyacide** (acide renfermant plusieurs atomes d'hydrogène) par une base :

$$H_2SO_4 + NaOH \longrightarrow NaHSO_4 + H_2O$$
$$H_3PO_4 + Ca(OH)_2 \longrightarrow CaHPO_4 + 2\,H_2O$$
$$2\,H_3PO_4 + Mg(OH)_2 \longrightarrow Mg(H_2PO_4)_2 + 2\,H_2O$$

18. Exemples :

$NaHSO_4$	: hydrogénotétraoxosulfate de sodium
$CaHPO_4$	: hydrogénotétraoxophosphate de calcium
$Mg(H_2PO_4)_2$	: bis(dihydrogénotétraoxophosphate) de magnésium
$Ba(HCO_3)_2$	: bis(hydrogénotrioxocarbonate) de baryum
K_2HPO_4	: hydrogénotétraoxophosphate de dipotassium

QUESTIONS ET EXERCICES

2.1. Nommez les composés binaires suivants :

NO, SiH_4, SO_2, SiO_2, Cl_2O_6, I_2O_5, CO, Fe_2O_3, K_2O, $CrCl_3$, Fe_3O_4, CaH_2, CrO_3, Al_2O_3, MnO, TiO_2, VCl_4, $MgCl_2$, Cu_2O, AgCl, $CuCl_2$, ZnO, Mn_3O_4, N_2O_3

a) à l'aide des préfixes seulement ;

b) sans utiliser de préfixes, mais en indiquant le nombre d'oxydation (en chiffres romains ou en chiffres arabes dans les cas où le nombre d'oxydation est fractionnaire) de l'élément nommé en second.

2.2. Nommez les ions monoatomiques suivants en indiquant, s'il y a lieu, le nombre d'oxydation en chiffres romains :

Na^+, F^-, Ca^{2+}, Fe^{2+}, Br^-, Li^+, Fe^{3+}, H^-, Ba^{2+}, S^{2-}, Co^{2+}

2.3. Nommez les ions polyatomiques suivants en indiquant, en chiffres arabes, le nombre d'oxydation de l'atome central :

BrO_3^-, NO_3^-, HCO_3^-, MnO_4^-, CrO_4^{2-}, $S_2O_8^{2-}$, $HP_2O_7^{3-}$, $Cr_2O_7^{2-}$, HSO_3^-, HPO_4^{2-}, IO_4^-, $[MnCl_6]^{4-}$, $[PtCl_6]^{2-}$

2.4. Écrivez la formule des ions polyatomiques suivants (sans oublier leur charge) :

a) ion tétraoxophosphate (V)
b) ion trioxonitrate (V)
c) ion trioxocarbonate **(IV)**
d) ion tétraoxosulfate **(VI)**
e) ion heptaoxodisulfate **(VI)**
f) ion dihydrogénotétraoxophosphate **(V)**
g) ion trioxoiodate **(V)**
h) ion monooxobromate **(I)**
i) ion tétraoxochlorate **(VII)**
j) ion trihydrogénodécaoxotriphosphate **(V)**
k) ion hexaoxotétrasulfate (+ 5/2)
l) ion tétrachloroaurate **(III)**
m) ion dicyanoargentate **(I)**
n) ion tétrachlorocobaltate **(II)**
o) ion monohydrogénopentaoxodisulfate **(IV)**

2.5. Nommez les composés ioniques suivants :

a) Na_2CO_3
b) $CaBr_2$
c) $Mg_3(PO_4)_2$
d) K_2SO_4
e) $Ba(NO_3)_2$
f) $Ca(OH)_2$
g) $AlPO_4$
h) $Fe(NO_3)_3$
i) $(NH_4)_2S$
j) $NaCN$
k) $K_2Cr_2O_7$
l) $KMnO_4$
m) NH_4Cl
n) $Fe_2(Cr_2O_4)_3$
o) $(NH_4)_2SO_4$

2.6. Nommez les composés de l'hydrogène suivants :

a) H_2SO_4
b) HCN
c) KH_2PO_4
d) HF
e) $LiHS$
f) NH_4CN
g) $Ba(HSO_4)_2$
h) H_2S
i) $NaHCO_3$
j) $Al_2(HPO_4)_3$
k) MgH_2
l) H_3PO_4
m) $LiHSO_4$
n) HNO_2
o) $CaHPO_4$
p) $KHSO_3$

2.7. Quelle est la formule chimique correspondant aux noms suivants :

a) ion calcium
b) oxyde d'azote (V)
c) heptafluorure d'iode
d) ion sulfure
e) chlorure d'ammonium
f) dicarbure de calcium
g) ion monohydrogénotétraoxophosphate (V)
h) tétrahydroborate de sodium
i) ion cyanure
j) oxyde de bismuth (III)
k) ion ammonium
l) hexaoxyde de tétraarsenic
m) ion tétraoxodichromate (III)
n) bis(monooxochlorate) de calcium
o) trioxonitrate d'ammonium
p) ion octaoxotrisilicate **(IV)**
q) bis(tétraoxoarséniate) de triplomb
r) tétrahydroxobéryllate de dipotassium
s) oxyde de manganèse ($+ \dfrac{8}{3}$)
t) bis(dihydrogénotétraoxophosphate) de calcium

2.8. Nommez les espèces chimiques suivantes :

a) Mg^{2+}
b) OH^-
c) XeF_4
d) $Fe(OH)_3$
e) H_3O^+
f) HCO_3^-
g) $Ba(CN)_2$
h) NH_4HSO_4
i) Br^-
j) Al^{3+}
k) Mg_3N_2
l) $Na_4P_2O_7$
m) TiO_3^{2-}
n) $[Mn(CN)_6]^{4-}$
o) $H_2S_2O_7$
p) $P_3O_{10}^{5-}$
q) $Al(H_2PO_4)_3$
r) HS^-
s) PH_5
t) Na_2SiO_3

Stœchiométrie 3

La **stœchiométrie** peut se définir comme l'étude des rapports selon lesquels les espèces chimiques réagissent entre elles et se transforment en produits. Nous avons vu au chapitre 1 que la transformation des réactifs en produits est symbolisée à l'aide d'une **équation chimique** dans laquelle on écrit les **formules chimiques** des **réactifs** à gauche du signe $\longrightarrow$, et les **formules chimiques** des **produits** à droite du signe $\longrightarrow$. Les formules chimiques des réactifs et des produits sont en outre précédées d'une coefficient, appelé **coefficient stœchiométrique**, qui permet d'**équilibrer** l'équation. L'équation est équilibrée lorsqu'on trouve le même nombre d'atomes de chaque élément[1] de part et d'autre du signe $\longrightarrow$, ce qui est indispensable, puisqu'une réaction chimique est simplement un **réarrangement d'atomes**. Les coefficients stœchiométriques, qui précèdent la formule de chacun des réactifs et de chacun des produits, indiquent en fait les rapports selon lesquels les réactifs réagissent entre eux et se transforment en produits : ce sont donc ces coefficients qui permettent de faire les calculs de stœchiométrie (d'où la nécessité d'équilibrer l'équation chimique avant d'effectuer un calcul stœchiométrique). L'objectif de ce chapitre est d'illustrer, à l'aide de quelques cas types, ce en quoi consistent les problèmes de stœchiométrie. Le traitement de ces cas types sera précédé d'un rappel concernant la lecture d'une équation chimique, puisque la résolution d'un problème de stœchiométrie consiste en réalité à faire une lecture appropriée de l'équation chimique concernée et à appliquer cette lecture à la donnée du problème et à la question posée.

1. Lecture d'une équation chimique

Parmi les produits fabriqués à grande échelle dans l'industrie chimique, il y a notamment les **engrais chimiques** qui servent à fournir aux plantes les éléments essentiels à leur croissance qu'elles ne peuvent puiser elles-mêmes dans leur environnement. Le phosphore est l'un de ces éléments[2]. On le trouve surtout dans la nature sous la forme du composé de formule $Ca_3(PO_4)_2$ (il s'agit cependant d'une formule simplifiée). Ce composé ne peut être utilisé tel quel à titre d'engrais, car il est insoluble dans l'eau, donc insoluble dans la sève des plantes. On le traite avec H_2SO_4 afin de le transformer en $Ca(H_2PO_4)_2$

1. **Remarque** : Lorsqu'une équation chimique fait intervenir des **ions**, la **charge totale de part et d'autre du signe** $\longrightarrow$ doit être **la même** pour que l'équation soit équilibrée.

2. **Remarque** : Les végétaux puisent eux-mêmes dans leur environnement les trois principaux éléments nécessaires à leur croissance, à savoir C, H et O. Grâce à l'énergie solaire, ils font en effet la synthèse du glucose $C_6H_{12}O_6$ à partir du CO_2 de l'air et de l'eau du sol. Ce processus, appelé **photosynthèse** (parce qu'il se fait avec l'aide des **photons** émanant du soleil), est très complexe et peut se résumer par l'équation suivante :

$$6\,CO_2 + 6\,H_2O + 2,8 \times 10^3\,kJ \longrightarrow C_6H_{12}O_6 + 6\,O_2$$

Par ailleurs, les trois principaux éléments que l'on fournit aux plantes par l'intermédiaire des engrais sont le **phosphore**, l'**azote**, et le **potassium**. Comme exemples d'engrais fournissant respectivement l'azote et le potassium, on peut citer le trioxonitrate de sodium $NaNO_3$ et le chlorure de potassium KCl, abondants l'un et l'autre à l'état naturel (KCl surtout). On obtient un meilleur engrais (KNO_3, source de potassium et d'azote) en les faisant réagir l'un avec l'autre selon la réaction :

$$KCl + NaNO_3 \longrightarrow KNO_3 + NaCl$$

3. **Remarque** : Le mélange des deux produits de cette réaction est connu sous le nom de **superphosphate**.

soluble dans l'eau et utilisable comme engrais. En simplifiant, on peut écrire la réaction comme ceci [3] :

$$Ca_3(PO_4)_2 + 2\,H_2SO_4 \longrightarrow Ca(H_2PO_4)_2 + 2\,CaSO_4$$

Cette réaction se lit comme suit :

> Lorsque 1 mol de $Ca_3(PO_4)_2$ réagit avec 2 mol de H_2SO_4, il se forme 1 mol de $Ca(H_2PO_4)_2$ et 2 mol de $CaSO_4$.

En transformant ces nombres de moles en nombres de grammes, on peut également faire la lecture suivante :

> Lorsque 310,2 g de $Ca_3(PO_4)_2$ réagissent avec $2 \times 98,1$ g de H_2SO_4, il se forme 234,1 g de $Ca(H_2PO_4)_2$ et $2 \times 136,1$ g de $CaSO_4$.

La lecture en grammes et la lecture en moles sont absolument **équivalentes** et peuvent être schématiquement présentées comme ceci :

	$Ca_3(PO_4)_2$ +	$2\,H_2SO_4$ →	$Ca(H_2PO_4)_2$ +	$2\,CaSO_4$
lecture en mol :	1 mol	2 mol	1 mol	2 mol
lecture en g :	$1 \times 310,2$ g	$2 \times 98,1$ g	$1 \times 234,1$ g	$2 \times 136,1$ g

Il est parfaitement correct aussi d'**associer la lecture en moles et la lecture en grammes** comme dans les exemples suivants :

	$Ca_3(PO_4)_2$ +	$2\,H_2SO_4$ →	$Ca(H_2PO_4)_2$ +	$2\,CaSO_4$
	1 mol	$2 \times 98,1$ g	$1 \times 234,1$ g	2 mol

ou bien :	$Ca_3(PO_4)_2$ +	$2\,H_2SO_4$ →	$Ca(H_2PO_4)_2$ +	$2\,CaSO_4$
	$1 \times 310,2$ g	$2 \times 98,1$ g	1 mol	$2 \times 136,1$ g

ou encore :	$Ca_3(PO_4)_2$ +	$2\,H_2SO_4$ →	$Ca(H_2PO_4)_2$ +	$2\,CaSO_4$
	1 mol	2 mol	$1 \times 234,1$ g	$2 \times 136,1$ g

2. Application de la lecture d'une équation chimique à la résolution d'un problème de stœchiométrie

Que ce soit au laboratoire ou dans l'industrie, les quantités de réactifs que l'on utilise en pratique ne sont généralement pas les mêmes que celles qui apparaissent lors de la lecture de l'équation chimique présentée ci-dessus. Toutefois, **les réactifs se combinent et les produits se forment toujours dans les mêmes rapports que ceux indiqués dans l'équation chimique équilibrée** et c'est cette loi que l'on applique lorsqu'on résout un problème de stœchiométrie.

1er cas : *Le problème ne comporte qu'une seule donnée*

Le trioxocarbonate de calcium $CaCO_3$ est un composé extrêmement abondant à l'état naturel : c'est le principal constituant du calcaire, du marbre, de l'albâtre, de la craie, des coquilles d'animaux marins, des coquilles d'œuf. C'est un composé **insoluble dans l'eau, mais soluble dans plusieurs solutions d'acides**. Lorsqu'on verse quelques gouttes d'une solution aqueuse de HCl sur une roche calcaire, il se produit une *effervescence* due au dégagement du gaz CO_2 : c'est d'ailleurs une méthode que l'on peut employer en minéralogie pour identifier une roche calcaire. La réaction est la suivante [4] :

$$CaCO_3 + 2\,HCl \rightarrow CaCl_2 + CO_2 + H_2O$$

Comme CO_2 est gazeux et que $CaCl_2$ est très soluble dans l'eau, on peut dissoudre une quantité donnée de solide $CaCO_3$ en utilisant une quantité suffisante de HCl. Supposons par exemple que l'on cherche le nombre minimal de moles de HCl nécessaire pour dissoudre 2,7 g de $CaCO_3$. Comme la donnée du problème est exprimée en grammes et que la réponse devra être exprimée en moles, les indications dont on dispose pourront être présentées comme ceci :

	$CaCO_3$	$+\ 2\,HCl$	$\rightarrow$	$CaCl_2 + CO_2 + H_2O$
lecture de l'équation :	$1\times 100,1$ g	2 mol		
énoncé du problème :	2,7 g	x mol		

La lecture de l'équation chimique nous indique que la masse de $CaCO_3$ dissoute et le nombre de moles de HCl nécessaire sont dans le rapport :

$$\frac{1 \times 100,1 \text{ g de } CaCO_3}{2 \text{ mol de HCl}}$$

Avec les données du problème à résoudre, on peut écrire que la masse de $CaCO_3$ dissoute et le nombre de moles de HCl nécessaire sont dans le rapport :

$$\frac{2,7 \text{ g de } CaCO_3}{x \text{ mol de HCl}}$$

Puisque **le rapport** entre la masse de $CaCO_3$ dissoute et le nombre de moles de HCl nécessaire **reste toujours le même**, il s'ensuit que :

$$\frac{1 \times 100,1 \text{ g de } CaCO_3}{2 \text{ mol de HCl}} = \frac{2,7 \text{ g de } CaCO_3}{x \text{ mol de HCl}}$$

ce qui donne :

$$x = 5,4 \times 10^{-2} \text{ mol de HCl}$$

Le raisonnement qui précède s'applique bien entendu de la même façon aux produits, et il s'applique tout aussi bien lorsqu'on fait le rapport de deux masses que lorsqu'on fait le rapport d'une masse et d'un nombre de moles comme cela a été fait précédemment.

Supposons par exemple que l'on cherche la masse de $CaCl_2$ produite à la suite de la dissolution des 2,7 g de $CaCO_3$. Comme la donnée du

4. **Remarque** :
a) En utilisant l'acide HNO_3 plutôt que l'acide HCl, la réaction est la suivante :

$$CaCO_3 + 2\,HNO_3 \rightarrow Ca(NO_3)_2 + CO_2 + H_2O$$

Avec $MgCO_3$ que l'on trouve souvent mélangé à $CaCO_3$ à l'état naturel, il se produit une réaction analogue :

$$MgCO_3 + 2\,HNO_3 \rightarrow Mg(NO_3)_2 + CO_2 + H_2O$$

Les deux réactions qui précèdent sont réalisées industriellement pour préparer les composés $Ca(NO_3)_2$ et $Mg(NO_3)_2$ que l'on utilise comme **engrais**.

b) Le solide blanc, appelé **tartre**, qui se forme au fond d'une bouilloire ou de tout autre récipient dans lequel on chauffe régulièrement de l'eau, est constitué par le composé $CaCO_3$ (généralement mélangé à $MgCO_3$). Au lieu de frotter les parois du récipient pour le décaper, on peut dissoudre le dépôt de tartre à l'aide d'un acide. S'il s'agit d'un ustensile ménager, l'acide acétique CH_3COOH, contenu dans le vinaigre, convient particulièrement bien. Les réactions qui se produisent alors sont les suivantes :

$$CaCO_3 + 2\,CH_3COOH \rightarrow (CH_3COO)_2Ca + CO_2 + H_2O$$

$$MgCO_3 + 2\,CH_3COOH \rightarrow (CH_3COO)_2Mg + CO_2 + H_2O$$

c) $CaCO_3$ et $MgCO_3$ interviennent dans la composition de certains **anti-acides** que l'on emploie pour neutraliser l'excès d'acidité de l'estomac (résultant par exemple d'un repas trop copieux). Comme l'acide présent dans l'estomac est HCl, les réactions qui se produisent lors de l'emploi de ces anti-acides sont les suivantes :

$$CaCO_3 + 2\,HCl \rightarrow CaCl_2 + CO_2 + H_2O$$

$$MgCO_3 + 2\,HCl \rightarrow MgCl_2 + CO_2 + H_2O$$

problème et la réponse sont l'une et l'autre exprimées en grammes, on posera le problème comme ceci :

$$CaCO_3 + 2\,HCl \rightarrow CaCl_2 + CO_2 + H_2O$$

lecture de l'équation : $\quad 1 \times 100{,}1\ g \qquad\qquad 1 \times 111{,}0\ g$

énoncé du problème : $\qquad\quad 2{,}7\ g \qquad\qquad\qquad x\ g$

Comme le rapport entre la masse de $CaCl_2$ produite et la masse de $CaCO_3$ dissoute reste le même quelle que soit la quantité de départ, on pourra écrire :

$$\frac{1 \times 100{,}1\ g\ de\ CaCO_3}{1 \times 111{,}0\ g\ de\ CaCl_2} = \frac{2{,}7\ g\ de\ CaCO_3}{x\,g\ de\ CaCl_2}$$

ce qui donne :

$$x = 3{,}0\ g\ de\ CaCl_2$$

5. **Remarque** : Mis à part quelques exceptions, comme par exemple les métaux nobles (Pt, Au, Ag, Cu), les éléments métalliques se trouvent dans la nature sous la forme de divers composés : oxydes, sulfures, chlorures, etc. Cependant, c'est sous la forme de métal non combiné qu'un grand nombre d'éléments métalliques sont employés en pratique. L'une des opérations que l'on effectue en **métallurgie** consiste donc à transformer les composés naturels des métaux dans le but d'obtenir le métal lui-même.

6. **Remarque** : Lorsqu'on calcule la quantité **maximale** d'un produit qu'il est possible d'obtenir ou d'un réactif qu'il est possible de traiter à partir d'une quantité pré-déterminée d'un autre réactif, on suppose que **le rendement de la réaction est de 100%**, ce qui en pratique n'est pas souvent le cas. Parmi les diverses causes d'un rendement inférieur à 100%, on peut citer entre autres le fait que :

— plusieurs réactions atteignent un état d'équilibre où les réactifs ne sont que partiellement transformés en produits ; il faut alors utiliser la valeur de la constante d'équilibre à la température concernée pour être en mesure de déterminer les quantités réelles de produits formés ;

— le mélange intime des réactifs est quelquefois difficile à réaliser (notamment si l'un des réactifs est solide) et la réaction est alors incomplète faute d'un contact adéquat entre les réactifs ;

— le produit de la réaction auquel on s'intéresse n'est pas toujours séparé complètement du mélange réactionnel (quand il s'agit par exemple d'un produit insoluble que l'on isole par précipitation, il y a généralement une certaine quantité qui reste en solution) ; il y a alors une diminution du rendement due au fait que l'on ne parvient pas à récupérer la totalité du produit formé ;

— la réaction principale, qui conduit à l'obtention du produit désiré, est quelquefois concurrencée par une ou plusieurs réactions secondaires qui font nécessairement diminuer le rendement, puisqu'elles consomment une partie des réactifs employés.

Exemple d'application 3.1

Pour préparer le manganèse Mn à l'état métallique[5], on réduit le tétraoxyde de trimanganèse Mn_3O_4 par l'aluminium à haute température. L'aluminium est en effet un élément qui présente une très grande affinité pour l'oxygène, car il forme avec ce dernier le trioxyde de dialuminium Al_2O_3 qui est un composé particulièrement stable. C'est pour cette raison que l'on se sert de l'aluminium pour «arracher» l'oxygène de divers oxydes métalliques. Avec Mn_3O_4, la réaction est la suivante :

$$Mn_3O_4 + Al \rightarrow Mn + Al_2O_3$$

a) combien de moles de Mn_3O_4 peut-on réduire au maximum[6] avec $1{,}0 \times 10^3$ kg d'aluminium ?

b) combien de moles de manganèse métallique obtient-on à la suite de l'opération précédente ?

a) On commence par équilibrer l'équation et on pose ensuite le problème comme ceci :

$$3\,Mn_3O_4 + 8\,Al \rightarrow 9\,Mn + 4\,Al_2O_3$$

$$3\ mol \qquad 8 \times 27{,}0\ g$$
$$x\ mol \qquad 1{,}0 \times 10^6\ g$$

On peut donc écrire :

$$\frac{3\ mol\ de\ Mn_3O_4}{8 \times 27{,}0\ g\ de\ Al} = \frac{x\ mol\ de\ Mn_3O_4}{1{,}0 \times 10^6\ g\ de\ Al}$$

ce qui donne

$$x = 1{,}4 \times 10^4\ mol\ de\ Mn_3O_4$$

b) Il est clair que le nombre de moles de manganèse obtenu est le triple du nombre de moles d'oxyde Mn_3O_4 consommé. On obtient donc **$4{,}2 \times 10^4$ mol de manganèse** au cours de la transformation précédente.

2e cas : *Les données du problème comportent une (ou des) concentration(s)*

Les acides et les bases constituent deux catégories de substances qui ont des propriétés antagonistes. Lorsqu'on met en contact un acide et une base, ils se **neutralisent**, et les produits de cette neutralisation sont en général un **sel** et de l'**eau**. Les réactions de neutralisation acide-base s'effectuent habituellement en solution aqueuse et on les utilise, entre autres, pour faire les **titrages acide-base**. De façon générale, **titrer** consiste à **mesurer une concentration**. Lors d'un titrage acide-base, on mesure la concentration d'une solution acide à l'aide d'une solution basique de concentration connue ou, inversement, on mesure la concentration d'une solution basique à l'aide d'une solution acide de concentration connue. Pour faire cette mesure, il faut utiliser un moyen permettant de détecter le **point d'équivalence**, c'est-à-dire l'instant précis où l'on a ajouté juste assez de base à la quantité initiale d'acide pour la neutraliser exactement. Il y a diverses méthodes de détection du point d'équivalence, la plus simple étant l'utilisation d'un **indicateur coloré acide-base**. Un indicateur coloré acide-base est une substance qui possède une certaine couleur lorsqu'elle est introduite dans un milieu acide, et une couleur différente lorsqu'elle est introduite dans un milieu basique. Par exemple, la *phénolphtaléine* est un indicateur acide-base incolore en milieu acide et rose violacé en milieu basique.

Supposons par exemple que l'on désire mesurer la concentration d'une solution aqueuse de H_2SO_4 à l'aide d'une solution aqueuse de NaOH de concentration 0,134 mol/dm^3. On prélève à l'aide d'une *pipette* un volume précis, disons 20,0 cm^3, de solution aqueuse de H_2SO_4 et on lui ajoute deux gouttes de phénolphtaléine : cette dernière est alors incolore. À l'aide d'une *burette* remplie de solution de NaOH, on verse peu à peu cette dernière dans la solution acide. À l'instant où se produit le changement de couleur (**virage**) de l'indicateur, on sait que l'on a ajouté juste assez de solution de NaOH pour neutraliser complètement l'acide contenu dans les 20,0 cm^3 titrés. Supposons que l'on ait ajouté 18,7 cm^3 de solution de NaOH lors du virage de l'indicateur. À partir de ces informations, nous allons voir que l'on peut calculer.

— le nombre de moles de NaOH contenu dans les 18,7 cm^3 ;
— le nombre de moles de H_2SO_4 contenu dans les 20,0 cm^3 ;
— la concentration de la solution de H_2SO_4.

Le nombre de moles de NaOH contenu dans 18,7 cm^3 de la solution aqueuse de NaOH de concentration 0,134 mol/dm^3 est égal à [7] :

$$0,134 \; \frac{mol}{dm^3} \times 18,7 \times 10^{-3} \, dm^3 = 2,51 \times 10^{-3} \; mol \; de \; NaOH$$

Pour trouver le nombre de moles de H_2SO_4 contenu dans les 20,0 cm^3 de solution, c'est-à-dire le nombre de moles de H_2SO_4 qui a été neutralisé, on se sert de la réaction de neutralisation qui est la suivante :

$$H_2SO_4 \; + \; 2\,NaOH \; \rightarrow \; Na_2SO_4 + 2\,H_2O$$

lecture de l'équation :   1 mol   2 mol

donnée du problème : x mol $2,51 \times 10^{-3}$ mol

on peut donc écrire :

$$\frac{1 \; mol \; de \; H_2SO_4}{2 \; mol \; de \; NaOH} = \frac{x \; mol \; de \; H_2SO_4}{2,51 \times 10^{-3} \; mol \; de \; NaOH}$$

ce qui donne : $x = 1,25 \times 10^{-3} \; mol \; de \; H_2SO_4$

7. **Remarque** : Puisque :   1 cm $= 10^{-1}$ dm
et que : $(1 \; cm)^3 = (10^{-1} \; dm)^3$
il s'ensuit que :   1 cm$^3 = 10^{-3}$ dm^3

8. Remarques :

a) L'eau contient toujours un peu de CO_2 en solution, car ce dernier est abondant dans l'environnement et est un peu soluble dans l'eau. Lorsque l'eau circule en terrain calcaire (renfermant $CaCO_3$ et $MgCO_3$), les réactions suivantes se produisent :

$$CaCO_3 + CO_2 + H_2O \longrightarrow Ca(HCO_3)_2$$
$$\text{insoluble} \qquad\qquad\qquad \text{soluble}$$

$$MgCO_3 + CO_2 + H_2O \longrightarrow Mg(HCO_3)_2$$
$$\text{insoluble} \qquad\qquad\qquad \text{soluble}$$

Ce sont ces réactions qui expliquent la présence des ions Ca^{2+}, Mg^{2+} et HCO_3^- (provenant de la dissociation en ions des composés $Ca(HCO_3)_2$ et $Mg(HCO_3)_2$ lorsqu'ils sont solubilisés) dans certaines eaux naturelles. Les composés $CaCO_3$ et $MgCO_3$ sont en effet très courants dans l'écorce terrestre mais insolubles dans l'eau. Par contre, les composés $Ca(HCO_3)_2$ et $Mg(HCO_3)_2$ sont solubles dans l'eau, mais ne se trouvent pas à l'état naturel : ils sont d'ailleurs instables et n'existent qu'en solution aqueuse.

b) En raison de leur instabilité, $Ca(HCO_3)_2$ et $Mg(HCO_3)_2$ se décomposent sous l'action de la chaleur selon les deux réactions suivantes, inverses des deux précédentes qui ont conduit à leur formation :

$$Ca(HCO_3)_2 \xrightarrow{\text{chaleur}} CaCO_3 + CO_2 + H_2O$$
$$\text{soluble} \qquad\qquad \text{insoluble}$$

$$Mg(HCO_3)_2 \xrightarrow{\text{chaleur}} MgCO_3 + CO_2 + H_2O$$
$$\text{soluble} \qquad\qquad \text{insoluble}$$

Ce sont ces deux dernières réactions qui expliquent les dépôts de *tartre* ($CaCO_3$ et $MgCO_3$) qui se forment lorsque de l'eau contenant les ions Ca^{2+}, Mg^{2+} et HCO_3^- est soumise à l'action de la chaleur.

Les deux réactions qui précèdent expliquent également la formation des *stalactites* et des *stalagmites* que l'on peut observer dans certaines grottes. Les stalactites et les stalagmites sont en effet des dépôts calcaires qui se sont formés progressivement par suite de l'évaporation lente d'une eau s'écoulant goutte à goutte et contenant $Ca(HCO_3)_2$ et $Mg(HCO_3)_2$ en solution : comme ces derniers ne sont stables qu'en solution, ils se sont transformés en $CaCO_3$ et $MgCO_3$ lors de l'évaporation de l'eau.

9. Remarque : Puisque :

$$1\ m = 10\ dm$$
et que :
$$(1\ m)^3 = (10\ dm)^3$$
il s'ensuit que :
$$1\ m^3 = 10^3\ dm^3$$

La solution de H_2SO_4 titrée avait donc une concentration y mol/dm³ telle que :

$$y\ \frac{\text{mol}}{\text{dm}^3} \times 20{,}0 \times 10^{-3}\ dm^3 = 1{,}25 \times 10^{-3}\ \text{mol de } H_2SO_4$$

soit :

$$y = 6{,}25 \times 10^{-2}\ \text{mol/dm}^3$$

Exemple d'application 3.2

Bien qu'elle soit beaucoup plus pure que l'**eau salée** des mers et des océans, l'**eau douce** naturelle (eau souterraine, eau des cours d'eau et des lacs non salés) renferme toujours un certain nombre d'ions en solution. Selon la composition du sol avec lequel une eau douce donnée s'est trouvée en contact, elle peut contenir les cations Na^+, K^+, Ca^{2+}, Mg^{2+} (quelquefois Fe^{2+} et Fe^{3+}) et les anions SO_4^{2-}, HCO_3^- et Cl^-. Lorsque la concentration des cations Ca^{2+} et Mg^{2+} (ainsi que Fe^{2+} et Fe^{3+} le cas échéant) est appréciable, on dit qu'il s'agit d'une **eau dure**, car son utilisation amène un certain nombre d'inconvénients. Par exemple, les savons employés en présence d'eau dure forment des précipités qui causent les « cernes » des baignoires, se déposent sur le linge, rendent les cheveux collants, etc. Également, lorsque l'eau dure est soumise à l'action de la chaleur, il se forme habituellement des dépôts de *tartre* ($CaCO_3$ et $MgCO_3$) qui s'incrustent sur les parois des récipients ou des canalisations[8]. L'un des moyens que l'on emploie pour éviter ces divers inconvénients consiste à débarrasser l'eau dure des ions Ca^{2+}, Mg^{2+}, Fe^{2+} et Fe^{3+} avant de l'employer : cette opération est appelée **adoucissement** de l'eau. Il existe plusieurs méthodes d'adoucissement de l'eau dure. Entre autres, on peut éliminer les ions gênants (Ca^{2+}, Mg^{2+}, Fe^{2+} et Fe^{3+}) en les **précipitant** par l'addition à l'eau dure d'un adoucisseur tel que Na_2CO_3. Avec les ions Ca^{2+} et Mg^{2+} de l'eau dure, les réactions sont les suivantes :

$$Ca^{2+} + Na_2CO_3 \longrightarrow CaCO_{3(s)} + 2\ Na^+$$
$$\text{précipité}$$

$$Mg^{2+} + Na_2CO_3 \longrightarrow MgCO_{3(s)} + 2\ Na^+$$
$$\text{précipité}$$

Les précipités $CaCO_3$ et $MgCO_3$ sont éliminés par une **filtration** à la suite de laquelle on obtient de l'**eau adoucie** où, finalement, les ions Ca^{2+} et Mg^{2+} ont été remplacés par des ions Na^+.

Considérons 2,0 m³ d'une eau dure contenant $1{,}5 \times 10^{-3}$ mol/dm³ d'ions Na^+ et $2{,}5 \times 10^{-3}$ mol/dm³ d'ions Ca^{2+} (on supposera que l'ion Ca^{2+} est le seul cation responsable de la dureté de cette eau) :

a) quelle masse minimale de Na_2CO_3 faut-il employer pour adoucir ces 2,0 m³ d'eau dure ?

b) quelle masse de précipité obtiendra-t-on lors de l'adoucissement de ces 2,0 m³ d'eau dure (on supposera que le précipité est rigoureusement insoluble) ?

c) quelle sera la concentration des ions Na^+ dans l'eau adoucie obtenue ?

a) Calculons d'abord le nombre de moles d'ions Ca^{2+} présents dans les 2,0 m³ d'eau dure[9] :

$$2{,}5 \times 10^{-3}\ \frac{\text{mol}}{\text{dm}^3} \times 2{,}0 \times 10^3\ dm^3 = 5{,}0\ \text{mol d'ions } Ca^{2+}$$

L'équation de la réaction qui se produit lors de l'adoucissement permet ensuite de trouver la masse de Na_2CO_3 nécessaire :

$$Ca^{2+} + Na_2CO_3 \longrightarrow CaCO_{3(s)} + 2\,Na^+$$

1 mol   1× 106,0 g

5,0 mol x g

On a donc :

$$\frac{1 \text{ mol de } Ca^{2+}}{1 \times 106,0 \text{ g de } Na_2CO_3} = \frac{5,0 \text{ mol de } Ca^{2+}}{x \text{ g de } Na_2CO_3}$$

ce qui donne : $x = 530 \text{ g} = 0,53 \text{ kg de } Na_2CO_3$

b) On se sert encore de l'équation de la réaction pour trouver la masse de précipité formée lors de l'adoucissement :

$$Ca^{2+} + Na_2CO_3 \longrightarrow CaCO_{3(s)} + 2\,Na^+$$

1 mol   1× 100,1 g

5,0 mol x g

Comme :

$$\frac{1 \text{ mol de } Ca^{2+}}{1 \times 100,1 \text{ g de } CaCO_3} = \frac{5,0 \text{ mol de } Ca^{2+}}{x \text{ g de } CaCO_3}$$

on trouve : $x = 500 \text{ g} = 0,50 \text{ kg de } CaCO_3$

c) L'équation de la réaction d'adoucissement montre que, pour chaque ion Ca^{2+} éliminé lors de l'adoucissement, il se forme 2 ions Na^+ qui se trouveront dans l'eau adoucie et s'ajouteront aux ions Na^+ présents dans l'eau dure au départ. La concentration des ions Na^+ dans l'eau adoucie sera donc :

$$2 \times \left(2,5 \times 10^{-3} \frac{mol}{dm^3} \right) + \left(1,5 \times 10^{-3} \frac{mol}{dm^3} \right) = 6,5 \times 10^{-3} \frac{mol}{dm^3}$$

3e cas : *L'un des réactifs est en excès*

Pour diverses raisons, il arrive souvent que le rapport des quantités des réactifs mis en présence ne soit pas le même que celui qui découle de la lecture de l'équation chimique équilibrée. L'un des réactifs est alors en excès et **c'est celui qui n'est pas en excès qui détermine la quantité de produit qu'il sera possible d'obtenir** lors de la réaction [10].

L'une des méthodes de préparation de H_2 au laboratoire consiste à verser une solution aqueuse d'acide (HCl ou H_2SO_4 en général) sur certains métaux tels que Mg, Zn, Al. Avec Zn et HCl, la réaction est la suivante :

$$Zn_{(s)} + 2\,HCl_{(aq)} \longrightarrow ZnCl_{2(aq)} + H_{2(g)}$$

Comme $ZnCl_2$ est soluble, la réaction s'accompagne d'une dissolution du métal. Supposons que l'on ait versé 100,0 cm^3 d'une solution aqueuse de HCl de concentration 1,32 mol/dm^3 sur 5,52 g de zinc :

a) le métal a-t-il pu être dissous complètement ?
b) combien de moles de H_2 ont pu être produites au maximum ?

10. **Remarque** : Le réactif qui n'est pas en excès est aussi appelé réactif **limitant**, puisqu'il limite la quantité de produit qu'il est possible d'obtenir.

a) Les 100,0 cm³ de solution aqueuse de HCl contiennent :

$$1,32 \ \frac{\text{mol}}{\text{dm}^3} \times 100,0 \times 10^{-3} \, \text{dm}^3 = 0,132 \ \text{mol de HCl}$$

Par ailleurs, 5,52 g de zinc contiennent :

$$\frac{5,52 \ \text{g}}{65,39 \ \text{g/mol}} = 8,44 \times 10^{-2} \ \text{mol de Zn}$$

Comme il faut 2 mol de HCl pour dissoudre 1 mol de zinc selon l'équation de la réaction, le nombre de moles de HCl nécessaire pour dissoudre $8,44 \times 10^{-2}$ mol de Zn se calcule ainsi :

$$\frac{2 \ \text{mol de HCl}}{1 \ \text{mol de Zn}} = \frac{x \ \text{mol de HCl}}{8,44 \times 10^{-2} \ \text{mol de Zn}}$$

ce qui donne : $x = 0,169 \ \text{mol de HCl}$

Le zinc n'a donc pas pu être dissous complètement, puisqu'on n'a versé que 0,132 mol de HCl.

b) Puisque le zinc n'a pas réagi complètement, la quantité de H_2 obtenue est donc limitée par la quantité de HCl employée : c'est donc sur cette dernière que l'on se basera pour trouver le nombre de moles de H_2 obtenu. Étant donné que 2 mol de HCl sont nécessaires pour produire 1 mol de H_2, on peut écrire :

$$\frac{2 \ \text{mol de HCl}}{1 \ \text{mol de } H_2} = \frac{0,132 \ \text{mol de HCl}}{x \ \text{mol de } H_2}$$

soit : $x = 6,60 \times 10^{-2} \ \text{mol de } H_2$

---

11. **Remarque** : CO_2 est un **oxyde acide**, car il se combine à l'eau pour donner l'acide H_2CO_3 selon la réaction :

$$CO_2 + H_2O \longrightarrow H_2CO_3$$

L'acide H_2CO_3 réagit par ailleurs avec l'eau en libérant un proton comme l'indique l'équation suivante :

$$H_2O + H_2CO_3 \longrightarrow H_3O^+ + HCO_3^-$$

et ce sont les ions H_3O^+ qui sont responsables des propriétés acides d'une solution aqueuse de CO_2. Signalons que toutes les boissons gazeuses ont un pH acide (pH $\approx$ 4), parce que le gaz mis en solution dans ces boissons est précisément du CO_2.

Exemple d'application 3.3

Une solution aqueuse de NaOH absorbe le CO_2 de l'atmosphère lorsqu'elle est laissée dans un récipient ouvert à l'air libre. Cela tient au fait que NaOH est basique et que CO_2 a des propriétés acides [11] ; nous avons déjà vu précédemment que les acides et les bases se neutralisent lorsqu'ils se trouvent en présence les uns des autres. La réaction entre NaOH et CO_2 est la suivante :

$$2 \ NaOH + CO_2 \longrightarrow Na_2CO_3 + H_2O$$

Supposons que 500,0 cm³ d'une solution aqueuse de NaOH ayant initialement une concentration de 0,117 mol/dm³ aient été laissés dans un récipient ouvert pendant une heure. Quelle sera la nouvelle concentration de la solution de NaOH si pendant cette heure elle a absorbé $2,8 \times 10^{-3}$ mol de CO_2 ?

Calculons d'abord le nombre de moles de NaOH neutralisé au bout d'une heure à l'aide de l'équation équilibrée :

$$2 \ NaOH \ + \ \ \ \ CO_2 \ \ \ \ \longrightarrow Na_2CO_3 + H_2O$$
$$\ \ 2 \ \text{mol} \ \ \ \ \ \ \ \ \ 1 \ \text{mol}$$
$$\ \ x \ \text{mol} \ \ \ \ \ \ 2,8 \times 10^{-3} \ \text{mol}$$

En posant :

$$\frac{2 \ \text{mol de NaOH}}{1 \ \text{mol de } CO_2} = \frac{x \ \text{mol de NaOH}}{2,8 \times 10^{-3} \ \text{mol de } CO_2}$$

on trouve : $x = 5,6 \times 10^{-3}$ mol de NaOH neutralisés

Il y aura donc $5,6 \times 10^{-3}$ mol de NaOH de moins dans les 500,0 cm^3 au bout d'une heure. Initialement, ces 500,0 cm^3 de solution de NaOH contenaient :

$$0,117 \frac{mol}{dm^3} \times 500,0 \times 10^{-3} dm^3 = 5,85 \times 10^{-2} \text{ mol de NaOH}$$

Il restera donc au bout d'une heure :

$$5,85 \times 10^{-2} \text{ mol} - 5,6 \times 10^{-3} \text{ mol} = 5,29 \times 10^{-2} \text{ mol de NaOH}$$

En désignant par y la nouvelle concentration de la solution de NaOH au bout d'une heure, on peut écrire :

$$y \frac{mol}{dm^3} \times 500,0 \times 10^{-3} dm^3 = 5,29 \times 10^{-2} \text{ mol de NaOH}$$

soit [12] : $y = 0,106 \text{ mol/dm}^3$

[12]. **Remarque** : Le calcul ci-contre montre que la concentration d'une solution aqueuse de NaOH peut diminuer de façon significative par suite de l'absorption du CO_2 de l'air. Une solution aqueuse de NaOH doit donc toujours être maintenue dans un récipient **soigneusement bouché**, surtout si elle doit être utilisée pour effectuer un titrage.

4e cas : *Les réactifs (ou l'un d'eux) ne sont pas purs*

Très souvent, dans la pratique, les matières premières dont on se sert comme réactifs ne sont pas des substances pures, mais des mélanges contenant un certain pourcentage de l'espèce chimique réagissante. Par exemple, pour effectuer de nombreuses réactions avec H_2SO_4, on emploie une solution aqueuse de H_2SO_4 contenant 63% en masse de ce dernier, ce qui veut dire que sur 100 g de solution on dispose effectivement de 63 g de H_2SO_4. De même, les minerais, dont on extrait la plupart des métaux, contiennent habituellement un composé du métal mélangé à un certain pourcentage d'impuretés : par exemple, le minerai (appelé *bauxite*) dont on extrait l'aluminium est constitué par du trioxyde de dialuminium (Al_2O_3) mélangé à un pourcentage variable d'impuretés.

Dans un problème de stœchiométrie où intervient un pourcentage d'impuretés, il faut donc tenir compte, à l'aide d'un calcul de pourcentage approprié, de la masse réelle ou du nombre de moles réel de l'espèce chimique réagissante effectivement présente dans la quantité totale de matière première employée pour effectuer la réaction. C'est une **étape de calcul supplémentaire** par rapport aux exemples de problèmes vus précédemment, mais en dehors de cela, on procède de la même manière.

De tous les métaux, le fer est de très loin celui qui a la plus grande importance industrielle parce que ses alliages, les aciers surtout, ont beaucoup de débouchés : l'acier est en fait le matériau métallique le plus utilisé dans le monde entier, à cause de ses qualités mécaniques et de son coût peu élevé. Les alliages du fer se subdivisent en deux grandes catégories : les **fontes** et les **aciers**. Il s'agit dans les deux cas d'**alliages fer-carbone, essentiellement constitués de fer** : la teneur en carbone est inférieure à 1,7% dans le cas des aciers, et elle est de 2% à 5% dans le cas des fontes. C'est la fonte que l'on produit en premier et l'on fabrique ensuite l'acier en débarrassant la fonte d'une partie du carbone.

Le fer se trouve dans la nature sous forme de divers composés dont les plus importants sont probablement les oxydes Fe_2O_3 et Fe_3O_4. Un minerai de fer contenant le fer sous forme de Fe_3O_4 par exemple est constitué d'un certain pourcentage de Fe_3O_4 et d'un certain pourcentage

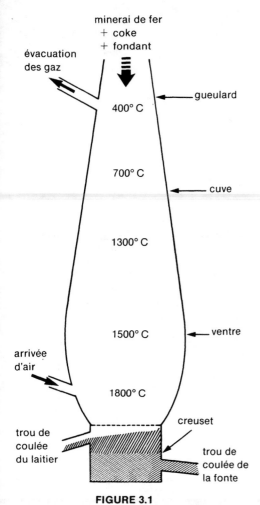

minerai de fer
+ coke
+ fondant

évacuation
des gaz

gueulard

400° C

700° C

cuve

1300° C

1500° C

ventre

arrivée
d'air

1800° C

trou de
coulée
du laitier

creuset

trou de
coulée de
la fonte

FIGURE 3.1

Schéma d'un haut fourneau

13. **Remarque** : Dans le creuset se trouvant à la base du haut fourneau, on recueille la fonte liquide et le *laitier* qui est constitué de la gangue du minerai, des cendres du charbon et des fondants. Comme le laitier est plus léger que la fonte, on peut récupérer l'un et l'autre à l'aide de deux *trous de coulée* situés à des hauteurs différentes.

Pour ensuite obtenir l'acier, on procède à l'**affinage de la fonte** que l'on réalise en lui insufflant de l'air ou du dioxygène : ce dernier oxyde une partie du carbone qui s'élimine sous forme de CO et CO_2.

d'impuretés non ferreuses (*gangue*), que l'on élimine en partie à l'aide de divers traitements physiques réalisés avant de procéder au traitement chimique. Ce dernier s'effectue dans de vastes fours en forme de cheminée appelés **hauts fourneaux** (figure 3.1) : leur partie centrale est renflée et leurs parois sont en matériau *réfractaire* capable de résister aux températures élevées maintenues à l'intérieur. On charge le haut fourneau par l'orifice supérieur (*gueulard*) avec un mélange de minerai de fer, de **coke** (carbone presque pur obtenu par chauffage de la houille à l'abri de l'air) et de *fondant* (substance ajoutée dans le but de favoriser la fusion de l'ensemble). On insuffle de l'air (ou du dioxygène) chaud à la base par les *tuyères*. La température élevée nécessaire à la réduction du minerai de fer est obtenue grâce à la combustion du carbone :

$$C + O_2 \rightarrow CO_2 + 390 \text{ kJ}$$

D'autre part, comme la température est très élevée, une partie du dioxyde de carbone formé se transforme en monoxyde CO par suite de la réaction :

$$C + CO_2 \rightarrow 2 CO$$

et **c'est en fait le monoxyde de carbone CO qui assure la réduction de l'oxyde de fer du minerai**. La température qui règne dans le haut fourneau s'accroît progressivement du sommet vers la base et, au fur et à mesure que la température augmente, la réduction de l'oxyde se poursuit [13]. Cette réduction s'effectue vraisemblablement en plusieurs étapes que l'on peut, en simplifiant, résumer par les réactions suivantes dans le cas de chacun des oxydes Fe_2O_3 et Fe_3O_4 :

$$Fe_2O_3 + 3 CO \rightarrow 2 Fe + 3 CO_2$$
$$Fe_3O_4 + 4 CO \rightarrow 3 Fe + 4 CO_2$$

Considérons un minerai de fer qui serait constitué de 47% en masse de Fe_2O_3, de 19% en masse de Fe_3O_4 et de 34% en masse d'impuretés non ferreuses :

a) combien de moles de fer peut-on obtenir au maximum en traitant $1,0 \times 10^3$ kg d'un tel minerai ?

b) quelle masse de fonte est obtenue à la suite de ce traitement si cette fonte renferme 3% en masse de carbone (on supposera que la fonte obtenue est exclusivement constituée de fer et de carbone) ?

a) Calculons d'abord les masses réelles des espèces chimiques réagissantes. Les $1,0 \times 10^3$ kg de minerai contiennent :

$$1,0 \times 10^6 \text{ g} \times \frac{47}{100} = 4,7 \times 10^5 \text{ g de } Fe_2O_3$$

et

$$1,0 \times 10^6 \text{ g} \times \frac{19}{100} = 1,9 \times 10^5 \text{ g de } Fe_3O_4$$

Le nombre de moles de fer issu de Fe_2O_3 se calcule à l'aide de l'équation équilibrée symbolisant la réduction de cet oxyde :

	Fe_2O_3	$+ 3 CO \rightarrow$	$2 Fe$	$+ 3 CO_2$
lecture de l'équation :	$1 \times 159,7$ g		2 mol	
donnée du problème :	$4,7 \times 10^5$ g		x mol	

En posant:

$$\frac{1 \times 159,7 \text{ g de Fe}_2\text{O}_3}{2 \text{ mol de Fe}} = \frac{4,7 \times 10^5 \text{ g de Fe}_2\text{O}_3}{x \text{ mol de Fe}}$$

on obtient:
$$x = 5,9 \times 10^3 \text{ mol de Fe}$$

Le nombre de moles de fer issu de Fe_3O_4 se calcule à l'aide de l'équation équilibrée symbolisant la réduction de cet oxyde:

$$Fe_3O_4 + 4\,CO \rightarrow 3\,Fe + 4\,CO_2$$

lecture de l'équation: $\qquad 1 \times 231,5 \text{ g} \qquad\qquad 3 \text{ mol}$

donnée du problème: $\qquad 1,9 \times 10^5 \text{ g} \qquad\qquad x \text{ mol}$

Comme:

$$\frac{1 \times 231,5 \text{ g de Fe}_3\text{O}_4}{3 \text{ mol de Fe}} = \frac{1,9 \times 10^5 \text{ g de Fe}_3\text{O}_4}{x \text{ mol de Fe}}$$

il s'ensuit que:
$$x = 2,5 \times 10^3 \text{ mol de Fe}$$

Le nombre total de moles de fer obtenu est donc:

$$5,9 \times 10^3 + 2,5 \times 10^3 = 8,4 \times 10^3 \text{ mol de Fe}$$

b) La masse de fer contenu dans la fonte obtenue à la suite de ce traitement est de:

$$8,4 \times 10^3 \text{ mol} \times 55,847 \frac{\text{g}}{\text{mol}} = 4,7 \times 10^5 \text{ g de Fe} = 4,7 \times 10^2 \text{ kg de Fe}$$

La masse z de fonte obtenue est donc:

$$z \times \frac{97}{100} = 4,7 \times 10^2 \text{ kg}$$

soit:

$$z = 4,8 \times 10^2 \text{ kg de fonte}$$

Exemple d'application 3.4

On sait que le fer exposé à l'air humide se transforme peu à peu en rouille que l'on peut considérer, en simplifiant, comme étant constituée par le trihydroxyde de fer $Fe(OH)_3$. Ce composé n'est pas soluble dans l'eau, mais il est généralement soluble dans les acides: c'est pourquoi, dans l'industrie, on décape les tôles de fer [14] en les plongeant dans une solution aqueuse diluée de H_2SO_4. La base $Fe(OH)_3$ est alors neutralisée par l'acide H_2SO_4 selon la réaction:

$$2\,Fe(OH)_3 + 3\,H_2SO_4 \rightarrow Fe_2(SO_4)_3 + 6\,H_2O$$

Comme le composé $Fe_2(SO_4)_3$ est soluble dans l'eau, la couche de rouille recouvrant les tôles de fer se trouve ainsi dissoute par la solution aqueuse d'acide.

Si l'on suppose que l'on utilise une solution aqueuse de H_2SO_4 contenant 55% en masse de ce dernier, quelle masse de rouille ($Fe(OH)_3$) peut-on dissoudre au maximum avec $3,5 \times 10^3$ kg de solution de H_2SO_4?

14. **Remarque:**
a) Pour protéger le fer contre la corrosion, on le recouvre d'une couche de zinc ou d'une couche d'étain en le plongeant dans un bain de l'un ou l'autre de ces métaux fondus. Avant de procéder à cette opération de *plaquage*, le fer doit cependant être débarrassé de toute trace de rouille, et c'est pour le décaper qu'on le plonge au préalable dans une solution aqueuse de H_2SO_4. Le fer recouvert de zinc est connu sous le nom de *fer galvanisé*, tandis que le fer recouvert d'étain est connu sous le nom de *fer-blanc* (c'est ce dernier que l'on emploie pour la fabrication des boîtes de conserve).
b) La formation de la rouille constitue un problème considérable qui, selon certaines estimations, réduirait chaque année en miettes 1/5 du fer utilisé dans le monde.

15. **Remarque** : On prétend que la consommation de H_2SO_4 constitue un très bon indicateur de la santé économique d'un pays. Nous avons mentionné précédemment que H_2SO_4 est employé pour la production des superphosphates et pour le décapage des métaux. On l'utilise aussi pour la production d'explosifs, de détergents, de désherbants, de colorants, de teintures, de peintures, de textiles synthétiques, de produits pharmaceutiques, du papier, du cuir, des accumulateurs au plomb, etc. Bref, rares sont les produits de l'industrie chimique qui n'ont pas nécessité l'emploi de H_2SO_4 à un stade ou à un autre de leur fabrication.

16. **Remarque** : Il y a toujours une certaine quantité de soufre dans les combustibles fossiles, car les matières organiques dont ils sont issus en contenaient. Lorsqu'on brûle les combustibles, le soufre qu'ils renferment brûle en même temps que le combustible et il en résulte la formation de SO_2 : celui-ci est généralement émis dans l'atmosphère en même temps que les produits normaux de combustion, CO_2 et H_2O. Après son émission dans l'atmosphère, SO_2 est oxydé plus ou moins rapidement en SO_3 et ce dernier se combine ensuite à la vapeur d'eau présente dans l'atmosphère pour former H_2SO_4, qui est le principal responsable des **pluies acides**. La formation du H_2SO_4 qui acidifie les pluies se déroule donc selon les mêmes étapes que sa préparation industrielle (mis à part la production initiale de soufre).

Notons que SO_2 est en lui-même un **polluant**, particulièrement irritant pour les voies respiratoires. Par ailleurs, SO_2 est aussi à l'origine d'un brouillard (**smog**), appelé **brouillard sulfurique** ou **brouillard acide**, caractéristique des grandes villes des régions humides, comme Londres. On le tient responsable de la catastrophe mémorable qui se produisit dans cette ville en décembre 1952 et au cours de laquelle il y eut 4000 morts (affections du système cardio-vasculaire et du système respiratoire, nombreuses collisions de véhicules, etc.). Le brouillard sulfurique est constitué d'un mélange de substances polluantes dans lequel il y a entre autres SO_2, H_2SO_4, des hydrocarbures, de la suie, des micro-cristaux de $(NH_4)_2SO_4$. Ces derniers résultent de la neutralisation acide-base qui se produit entre H_2SO_4 et l'ammoniac NH_3 de l'atmosphère :

$$H_2SO_4 + 2\,NH_3 \longrightarrow (NH_4)_2SO_4$$

Les micro-cristaux de $(NH_4)_2SO_4$ nuisent beaucoup à la visibilité et on les soupçonne également d'avoir une action plus néfaste que SO_2 lui-même, notamment en ce qui concerne les bronches. Précisons enfin que, pour lutter contre ce type de pollution, on soumet de plus en plus fréquemment les hydrocarbures (gaz naturel et pétrole)

La masse de H_2SO_4 effectivement présente dans les $3,5 \times 10^3$ kg de solution est de :

$$3,5 \times 10^3 \times \frac{55}{100} = 1,9 \times 10^3 \text{ kg de } H_2SO_4$$

L'équation de la réaction nous permet de calculer la masse de rouille que l'on peut dissoudre :

$$2\,Fe(OH)_3 \quad + \quad 3\,H_2SO_4 \quad \longrightarrow \quad Fe_2(SO_4)_3 + 6\,H_2O$$

lecture de l'équation : $2 \times 106,9$ g $\qquad 3 \times 98,1$ g

donnée du problème : $\quad x$ kg $\qquad\qquad 1,9 \times 10^3$ kg

On a donc :

$$\frac{2 \times 106,9 \text{ g de } Fe(OH)_3}{3 \times 98,1 \text{ g de } H_2SO_4} = \frac{x \text{ kg de } Fe(OH)_3}{1,9 \times 10^3 \text{ kg de } H_2SO_4}$$

d'où :

$$\boxed{x = 1,4 \times 10^3 \text{ kg de } Fe(OH)_3 \text{ (rouille)}}$$

5e cas : *La réaction globale comporte plusieurs étapes*

Très souvent, l'obtention du produit recherché à partir des matières premières de départ s'effectue en plusieurs étapes. C'est notamment le cas pour la préparation de H_2SO_4 et de HNO_3 qui sont les deux acides les plus employés de l'industrie chimique [15]. Pour résoudre un problème de stœchiométrie se rapportant à une transformation effectuée en plusieurs étapes, on procède tout à fait comme dans les exemples précédents où l'on ne considérait qu'une seule étape. La seule originalité que présente un problème de stœchiométrie lorsqu'il y a plusieurs étapes, c'est que, dans certains cas, on peut avoir à utiliser une équation équilibrée qui correspond à la somme de plusieurs étapes.

Les trois étapes de la préparation du tétraoxosulfate de dihydrogène H_2SO_4 (anciennement appelé *acide sulfurique*) sont les suivantes [16] :

• 1re étape : production de SO_2

Cette production peut se faire par combustion directe du soufre selon la réaction :

$$S + O_2 \longrightarrow SO_2$$

ou par oxydation du disulfure de fer FeS_2 qui existe à l'état naturel :

$$4\,FeS_2 + 11\,O_2 \longrightarrow 2\,Fe_2O_3 + 8\,SO_2$$

ou encore par oxydation de H_2S contenu notamment dans les gaz naturels :

$$2\,H_2S + 3\,O_2 \longrightarrow 2\,H_2O + 2\,SO_2$$

• 2e étape : oxydation de SO_2 en SO_3

Cette oxydation s'effectue en présence d'un catalyseur selon la réaction :

$$SO_2 + \frac{1}{2}\,O_2 \xrightarrow{\text{catalyseur}} SO_3$$

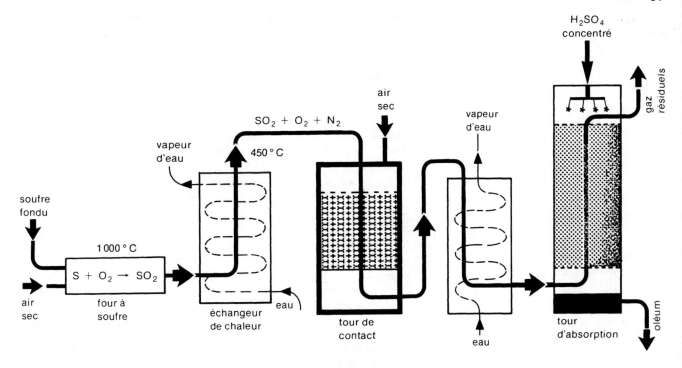

FIGURE 3.2

Schéma de la fabrication de H_2SO_4
par le procédé de contact

Il existe deux procédés industriels de conversion de SO_2 en SO_3 : le procédé des **chambres de plomb**, qui est le plus ancien, et le **procédé de contact**, qui est le plus récent. Le procédé des chambres de plomb exige une installation très coûteuse et, par ailleurs, le procédé de contact permet d'obtenir un produit final beaucoup plus concentré : ce sont deux raisons qui expliquent que le procédé des chambres de plomb soit peu à peu abandonné au profit du procédé de contact. Dans le procédé des chambres de plomb, l'oxydation de SO_2 en SO_3 s'effectue dans une série de grandes cloches dont l'intérieur est recouvert de plomb, d'où le nom de chambres de plomb[17]. Les catalyseurs employés sont les oxydes d'azote NO et NO_2. Dans le procédé de contact (figure 3.2), l'oxydation de SO_2 en SO_3 s'effectue dans des réacteurs cylindriques, appelés *tours de contact*, dont l'intérieur est garni de plateaux grillagés supportant des couches de catalyseur solide : la mousse de platine, anciennement employée comme catalyseur dans ce procédé, est maintenant remplacée par des **catalyseurs tels que V_2O_5**, moins sensibles aux impuretés. La réaction est réalisée à une température d'environ 450° C car, à des températures supérieures, SO_3 se décompose et, à des températures inférieures, la réaction est trop lente.

- **3ᵉ étape : fixation de SO_3 par H_2O**

SO_3 est un **oxyde acide**[18] qui se combine à H_2O selon une réaction très exothermique dont l'équation est la suivante :

$$SO_3 + H_2O \rightarrow H_2SO_4$$

à un traitement de **désulfuration** avant de les utiliser. En particulier, le sulfure de dihydrogène H_2S contenu dans les gisements de gaz naturel est transformé en soufre élémentaire à l'aide des deux réactions successives suivantes :

$$H_2S + \frac{3}{2} O_2 \rightarrow SO_2 + H_2O$$

$$2 H_2S + SO_2 \rightarrow 3 S + 2 H_2O$$

Cette extraction du soufre a d'ailleurs permis à certains pays riches en gaz naturel, comme le Canada, de devenir de gros producteurs de soufre.

17. **Remarque** : La préparation de H_2SO_4 par le procédé des chambres de plomb date de 1806 : c'est l'une des réalisations les plus anciennes de l'industrie chimique.

18. **Remarque** : SO_3 est un oxyde acide, précisément parce qu'en se combinant à l'eau il **donne un acide**.

Dans le procédé des chambres de plomb, la fixation de SO_3 par H_2O s'effectue en pulvérisant de l'eau dans les chambres de plomb : on obtient ainsi un acide relativement dilué (contenant environ 65% en masse de H_2SO_4) que l'on peut directement employer pour la fabrication des superphosphates (voir p. 46), mais non pour la fabrication des explosifs par exemple. Dans le procédé de contact, la fixation de SO_3 se fait non pas à l'aide de l'eau, mais à l'aide de H_2SO_4 concentré et froid, car SO_3 est plus facilement absorbé par H_2SO_4 concentré que par l'eau. Le mélange obtenu est appelé **acide sulfurique fumant** ou **oléum**, et sa dilution permet d'obtenir des solutions de H_2SO_4 de concentration désirée.

Supposons que l'on désire fabriquer 25 Gmol (c'est-à-dire 25×10^9 mol) de H_2SO_4 obtenu sous forme d'une solution aqueuse à 65% (c'est-à-dire renfermant 65% en masse de H_2SO_4). En utilisant les informations précédentes et en admettant que le rendement de toutes les étapes est de 100%, calculez :

a) la masse de solution aqueuse (à 65%) qui devra être produite ;
b) le nombre de moles de soufre nécessaire ;
c) le nombre de moles de H_2S nécessaire, si c'est ce composé qui constitue la source de soufre ;
d) le nombre de moles de FeS_2 nécessaire, si c'est ce composé qui constitue la source de soufre ;
e) le nombre total, toutes étapes incluses, de moles de O_2 nécessaire, si c'est H_2S qui constitue la source de soufre ;
f) le nombre total, toutes étapes incluses, de moles de O_2 nécessaire, si c'est FeS_2 qui constitue la source de soufre.

a) 25×10^9 mol de H_2SO_4 ont une masse de :

$$25 \times 10^9 \text{ mol} \times 98,1 \frac{g}{mol} = 2,5 \times 10^{12} \text{ g} = 2,5 \text{ Tg}$$

La masse y de solution aqueuse à 65% produite sera donc :

$$y \times \frac{65}{100} = 2,5 \text{ Tg}$$

soit :
$$\boxed{y = 3,8 \text{ Tg}}$$

b) Comme 1 mol de H_2SO_4 contient 1 mol de soufre, il faut **25×10^9 mol de soufre** pour obtenir 25×10^9 mol de H_2SO_4.

c) Comme 1 mol de H_2S contient 1 mol de soufre, il faut **25×10^9 mol de H_2S** pour obtenir 25×10^9 mol de H_2SO_4.

d) Comme 1 mol de FeS_2 contient 2 mol de soufre, il faut **13×10^9 mol de FeS_2** pour obtenir 25×10^9 mol de H_2SO_4.

e) Si H_2S constitue la source de soufre, on peut trouver l'équation qui représente la somme de toutes les étapes en procédant comme suit :

$$2 H_2S + 3 O_2 \rightarrow \cancel{2 H_2O} + \cancel{2 SO_2}$$
$$\cancel{2 SO_2} + O_2 \rightarrow \cancel{2 SO_3}$$
$$\cancel{2 SO_3} + \cancel{2 H_2O} \rightarrow 2 H_2SO_4$$

$$\overline{2 H_2S + 4 O_2 \rightarrow 2 H_2SO_4}$$

$$\begin{array}{cc} 4 \text{ mol} & 2 \text{ mol} \\ x \text{ mol} & 25 \times 10^9 \text{ mol} \end{array}$$

On en déduit donc que :

$$\frac{4 \text{ mol de } O_2}{2 \text{ mol de } H_2SO_4} = \frac{x \text{ mol de } O_2}{25 \times 10^9 \text{ mol de } H_2SO_4}$$

d'où :

$$x = 50 \times 10^9 \text{ mol de } H_2SO_4$$

f) Si FeS_2 constitue la source de soufre, on peut trouver l'équation qui représente la somme de toutes les étapes en procédant comme suit :

$$4 FeS_2 + 11 O_2 \rightarrow 2 Fe_2O_3 + \cancel{8 SO_2}$$
$$\cancel{8 SO_2} + 4 O_2 \rightarrow \cancel{8 SO_3}$$
$$\cancel{8 SO_3} + 8 H_2O \rightarrow 8 H_2SO_4$$

$$\overline{4 FeS_2 + 15 O_2 + 8 H_2O \rightarrow 2 Fe_2O_3 + 8 H_2SO_4}$$

$$\begin{array}{cc} 15 \text{ mol} & 8 \text{ mol} \\ x \text{ mol} & 25 \times 10^9 \text{ mol} \end{array}$$

Donc :

$$\frac{15 \text{ mol de } O_2}{8 \text{ mol de } H_2SO_4} = \frac{x \text{ mol de } O_2}{25 \times 10^9 \text{ mol de } H_2SO_4}$$

soit :

$$x = 4{,}7 \times 10^{10} \text{ mol de } O_2$$

Exemple d'application 3.5

Après H_2SO_4, le trioxonitrate d'hydrogène HNO_3 (anciennement appelé *acide nitrique*) est l'acide le plus utilisé dans l'industrie chimique. On le prépare à partir de NH_3, lui-même obtenu par combinaison directe de N_2 et de H_2 selon la réaction [19] :

$$N_2 + 3 H_2 \rightarrow 2 NH_3$$

La production de HNO_3 à partir de NH_3 se fait en trois étapes (figure 3.3) :

• **1re étape : transformation de NH_3 en NO**

Lors de la 1re étape, NH_3 est oxydé à l'aide du dioxygène selon la réaction :

$$2 NH_3 + \frac{5}{2} O_2 \rightarrow 2 NO + 3 H_2O$$

Cette réaction s'effectue entre 750 °C et 900 °C en présence de platine qui agit comme catalyseur : le mélange de gaz (NH_3 + air) est envoyé dans un *convertisseur* où se trouve le platine sous forme de toiles à mailles très fines posées sur une grille. Le catalyseur est préchauffé avant l'arrivée du mélange gazeux, et ensuite la chaleur dégagée par la réaction maintient le catalyseur à une température adéquate.

• **2e étape : transformation de NO en NO_2**

À la sortie du convertisseur, le mélange gazeux est refroidi jusque vers 50 °C à 60 °C et, grâce à l'excès de O_2 incorporé au mélange initial, NO se transforme en NO_2 par suite de la réaction :

$$NO + \frac{1}{2} O_2 \rightarrow NO_2$$

---

19. **Remarque** : L'ammoniac NH_3 est en lui-même un produit industriel très important : de plus en plus, on l'utilise directement comme **engrais** (en l'injectant dans le sol, car il est gazeux aux conditions ambiantes), mais on s'en sert également pour fabriquer d'autres engrais azotés tels que $NH_4H_2PO_4$ ou NH_4NO_3 :

$$NH_3 + H_3PO_4 \rightarrow NH_4H_2PO_4$$
$$NH_3 + HNO_3 \rightarrow NH_4NO_3$$

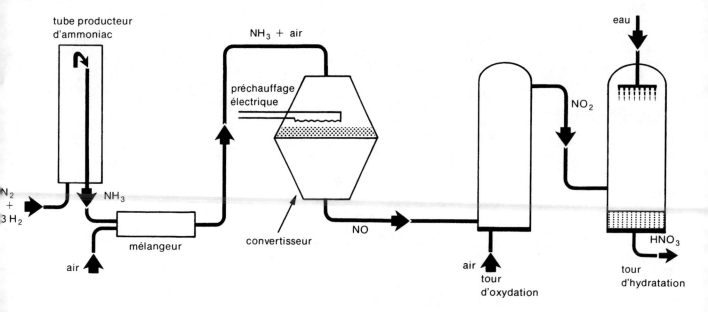

FIGURE 3.3

Schéma de la synthèse de HNO$_3$

20. **Remarques** :

a) Les réactions correspondant aux deux dernières étapes de la fabrication de HNO$_3$ se produisent également dans l'atmosphère, puisque les gaz d'échappement des véhicules à moteur renferment un peu de NO **(voir p. 17).** L'acide HNO$_3$ ainsi produit est partiellement responsable de l'**acidité des pluies** (l'autre responsable étant H$_2$SO$_4$).

b) Le procédé de fabrication de HNO$_3$ décrit ci-contre est connu sous le nom de procédé Ostwald, du nom du chimiste allemand qui l'a mis au point peu avant la Première Guerre mondiale : l'acide HNO$_3$ qui a pu ainsi être préparé a servi à la fabrication d'explosifs chimiques utilisés pendant la guerre.

• **3e étape : transformation de NO$_2$ en HNO$_3$**

Le dioxyde d'azote NO$_2$ obtenu à la 2e étape est envoyé dans une *tour d'hydratation* où il se combine à l'eau selon la réaction [20] :

$$3\,NO_2 + H_2O \longrightarrow 2\,HNO_3 + NO$$

L'oxyde d'azote obtenu lors de cette réaction est bien entendu recyclé pour fabriquer plus de HNO$_3$.

En considérant que la séquence de réactions décrite précédemment est effectuée en vue de produire $5,0 \times 10^2$ Mg ($5,0 \times 10^8$ g) « d'acide nitrique ordinaire» (lequel est une solution aqueuse de HNO$_3$ contenant 33% en masse de HNO$_3$) et en admettant que le rendement de toutes les étapes est de 100%, calculez :

a) le nombre minimal de moles de O$_2$ nécessaire ;
b) la masse minimale de H$_2$ nécessaire.

a) On calcule d'abord la masse de HNO$_3$ contenue effectivement dans les $5,0 \times 10^2$ Mg « d'acide nitrique ordinaire» :

$$5,0 \times 10^2 \text{ Mg} \times \frac{33}{100} = 1,6 \times 10^2 \text{ Mg de HNO}_3$$

On peut ensuite trouver le nombre de moles de O$_2$ nécessaire en se servant de l'équation équilibrée qui représente la somme des trois étapes de la préparation :

$$2\,NH_3 + \frac{5}{2}\,O_2 \longrightarrow 2\,\cancel{NO} + 3\,H_2O$$

$$3\,\cancel{NO} + \frac{3}{2}\,O_2 \longrightarrow 3\,\cancel{NO_2}$$

$$3\,\cancel{NO_2} + H_2O \longrightarrow 2\,HNO_3 + \cancel{NO}$$

$$2\,NH_3 + 4\,O_2 \longrightarrow 2\,HNO_3 + 2\,H_2O$$

	4 mol	$2 \times 63,0$ g
	x mol	$1,6 \times 10^8$ g

En posant:

$$\frac{4\ \text{mol de}\ O_2}{2 \times 63,0\ \text{g de}\ HNO_3} = \frac{x\ \text{mol de}\ O_2}{1,6 \times 10^8\ \text{g de}\ HNO_3}$$

on obtient: $x = 5,1 \times 10^6$ mol de O_2

b) Pour calculer la masse de H_2 nécessaire, on peut se servir de l'équation équilibrée qui représente la somme de toutes les étapes, en incluant la fabrication de NH_3:

$$N_2 + 3\,H_2 + 4\,O_2 \longrightarrow 2\,HNO_3 + 2\,H_2O$$

	$3 \times 2,02$ g	$2 \times 63,0$ g
	x g	$1,6 \times 10^8$ g

Comme:

$$\frac{3 \times 2,02\ \text{g de}\ H_2}{2 \times 63,0\ \text{g de}\ HNO_3} = \frac{x\ \text{g de}\ H_2}{1,6 \times 10^8\ \text{g de}\ HNO_3}$$

on trouve: $x = 7,7 \times 10^6$ g de $H_2 = 7,7$ Mg de H_2

QUESTIONS ET EXERCICES

3.1. Quels sont les cations responsables de la dureté de l'eau?

3.2. Quel qualificatif donne-t-on aux matériaux qui sont capables de résister à des températures très élevées?

3.3. Quels sont les deux acides responsables de l'acidité des pluies?

3.4. Comment appelle-t-on le fer recouvert de zinc?

3.5. Quels sont les trois éléments que l'on fournit aux plantes par l'intermédiaire des engrais?

3.6. Comment appelle-t-on les installations où l'on produit de la fonte à partir du minerai de fer?

3.7. De quelles espèces chimiques sont constituées les stalactites et les stalagmites?

3.8. De quelles espèces chimiques sont constitués les

dépôts de tartre qui se forment sur les parois d'un récipient où l'on chaufe de l'eau dure ?

3.9. Comment appelle-t-on le fer recouvert d'étain ?

3.10. Le trioxyde de soufre se dissout bien dans le tétraoxosulfate de dihydrogène concentré et froid. Comment appelle-t-on la solution correspondante ?

3.11. Quel nom donne-t-on aux chiffres 3, 6, 5, 1 et 3 qui précèdent les formules chimiques dans l'équation suivante :

$$3\,Cl_2 + 6\,NaOH \rightarrow 5\,NaCl + 1\,NaClO_3 + 3\,H_2O$$

3.12. La fonte est un alliage fer-carbone qui contient :

a) de 2% à 5% de carbone
b) de 15% à 20% de carbone
c) de 70% à 90% de fer
d) moins de 2% de carbone
e) de 0,5% à 1% de carbone

3.13. Parmi les espèces chimiques suivantes :

$$SO_2,\ NH_3,\ V_2O_5,\ NH_4H_2PO_4,\ Na_2CO_3,$$

$$Ca_3(PO_4)_2,\ NO,\ NO_2,\ Ca(H_2PO_4)_2$$

a) laquelle est employée comme adoucisseur d'eau ?
b) laquelle est employée comme catalyseur dans le procédé de contact ?
c) lesquelles sont de bons engrais ?
d) laquelle est à l'origine de brouillard sulfurique ?
e) laquelle est employée comme matière première dans la fabrication des « superphosphates » ?
f) lesquelles sont employées comme catalyseurs dans le procédé des chambres de plomb ?

3.14. Les énoncés suivants sont-ils vrais ou faux ?

a) la plupart des métaux se trouvent dans la nature à l'état non combiné ;
b) lors d'un titrage acide-base, on dit que l'on a atteint le point d'équivalence à l'instant précis où l'on a ajouté juste assez de base pour neutraliser exactement la quantité d'acide prise initialement ;
c) au contact du dioxyde de carbone de l'air, l'hydroxyde de sodium se transforme peu à peu en trioxocarbonate de disodium ;
d) dans un haut fourneau, on réduit le minerai de fer à l'aide du dioxyde de carbone ;

e) le procédé des chambres de plomb est l'un des procédés de fabrication du tétraoxosulfate de dihydrogène.

3.15. Parmi les équations chimiques suivantes :

1. $CaCO_3 + CO_2 + H_2O \rightarrow Ca(HCO_3)_2$
2. $KCl + NaNO_3 \rightarrow KNO_3 + NaCl$
3. $C_6H_{12}O_6 + 6\,O_2 \rightarrow 6\,CO_2 + 6\,H_2O$
4. $2\,H_2S + SO_2 \rightarrow 3\,S + 2\,H_2O$
5. $Ca_3(PO_4)_2 + 2\,H_2SO_4 \rightarrow Ca(H_2PO_4)_2 + 2\,CaSO_4$
6. $6\,CO_2 + 6\,H_2O \rightarrow C_6H_{12}O_6 + 6\,O_2$
7. $Ca(HCO_3)_2 \rightarrow CaCO_3 + CO_2 + H_2O$
8. $Ca(OH)_2 + 2\,HCl \rightarrow CaCl_2 + 2\,H_2O$

laquelle représente :

a) le processus de photosynthèse ;
b) la préparation des « superphosphates » ;
c) une réaction de neutralisation acide-base ;
d) la réaction correspondant à la formation de dépôts de tartre ;
e) la préparation d'un engrais renfermant de l'azote et du potassium ;
f) une réaction que l'on effectue pour éliminer certaines sources de pollution.

3.16. Complétez et équilibrez les équations chimiques suivantes :

a) $CaCO_3 + CH_3COOH \rightarrow$
b) $Zn + HCl \rightarrow$
c) $NaOH + CO_2 \rightarrow$
d) $Fe(OH)_3 + H_2SO_4 \rightarrow$
e) $SO_3 + H_2O \rightarrow$

3.17. Écrivez et équilibrez l'équation chimique symbolisant :

a) la dissolution du trioxocarbonate de calcium par le trioxonitrate d'hydrogène ;
b) l'oxydation du disulfure de fer par le dioxygène, sachant que le fer se retrouve au nombre d'oxydation + 3 dans les produits ;
c) la réaction de préparation de l'ammoniac ;
d) l'action du trioxocarbonate de calcium à titre d'antiacide ;
e) la 2e étape de la fabrication du tétraoxosulfate de dihydrogène.

3.18. Écrivez les trois équations chimiques équilibrées symbolisant les trois étapes de la fabrication industrielle du trioxonitrate d'hydrogène à partir de l'ammoniac.

3.19. On peut obtenir du dihydrogène en faisant passer de la vapeur d'eau sur du fer fortement chauffé. À une température inférieure à 570° C, le fer se transforme en tétraoxyde de trifer :

a) écrivez et équilibrez l'équation de la réaction ;
b) combien de moles de dihydrogène peut-on obtenir au maximum à partir de $25,0 \times 10^3$ kg de fer ?

3.20. On mélange 0,500 dm³ d'une solution aqueuse de NaOH de concentration 0,153 mol/dm³ et 0,500 dm³ d'une solution aqueuse de HBr de concentration 0,211 mol/dm³ :

a) écrivez et équilibrez l'équation chimique symbolisant la réaction ;
b) quelle est la concentration de NaBr dans la solution obtenue après mélange ?
c) quelle est la concentration de HBr dans la solution obtenue après mélange ?

3.21. On considère la neutralisation de 100,0 cm³ d'une solution aqueuse de trioxonitrate d'hydrogène de concentration 0,203 mol/dm³ par une solution aqueuse d'hydroxyde de sodium de concentration 0,827 mol/dm³ :

a) écrivez et équilibrez l'équation chimique symbolisant la réaction ;
b) combien de moles de HNO_3 sont contenues dans les 100,0 cm³ ?
c) combien de moles de NaOH sont nécessaires pour neutraliser ces 100,0 cm³ de solution de HNO_3 ?
d) quel volume de solution de NaOH sera nécessaire pour neutraliser ces 100,0 cm³ ?
e) quelle masse de $NaNO_3$ obtiendra-t-on à la suite de cette neutralisation ?

3.22. On met en présence $50,0 \times 10^2$ kg de CaF_2 et $60,0 \times 10^2$ kg de H_2SO_4 en vue de préparer HF à l'aide de la réaction suivante :

$$CaF_2 + H_2SO_4 \longrightarrow CaSO_4 + 2\,HF$$

a) lequel des deux réactifs mis en présence se trouve en excès ?
b) combien de moles du réactif en excès reste-t-il après la réaction ?

3.23. On considère la réaction de préparation de H_2 par action du dioxygène sur le propane C_3H_8. Sachant que l'autre produit de la réaction est du monoxyde de carbone :

a) écrivez l'équation chimique symbolisant cette réaction ;

b) combien faut-il au minimum de moles de propane pour obtenir $1,00 \times 10^2$ mol de H_2 ?
c) combien de moles de dihydrogène peut-on obtenir au maximum à partir de $1,00 \times 10^2$ kg de propane ?
d) quelle est la masse de dioxygène restant en excès lorsqu'on fait réagir 20,0 mol de propane avec 50,0 mol de dioxygène ?
e) quel est le réactif en excès, et quel est cet excès, lorsqu'on fait réagir 25,0 kg de propane et $5,00 \times 10^2$ mol de dioxygène ?

3.24. On peut aussi préparer le dihydrogène par action de la vapeur d'eau sur de l'éthane C_2H_6. Sachant que le carbone passe du nombre d'oxydation -3 au nombre d'oxydation $+4$ au cours de cette réaction :

a) écrivez l'équation chimique symbolisant cette réaction ;
b) calculez le nombre minimal de moles d'éthane et de moles de vapeur d'eau qu'il faut faire réagir pour obtenir $1,0 \times 10^2$ kg de dihydrogène ;
c) calculez le nombre maximal de moles de dihydrogène que l'on peut obtenir en faisant réagir $1,0 \times 10^2$ kg d'éthane et $3,0 \times 10^2$ kg de vapeur d'eau.

3.25. On prépare le tétraoxophosphate de trihydrogène en faisant agir le tétraoxosulfate de dihydrogène sur le bis(tétraoxophosphate) de tricalcium. Sachant que l'autre produit de la réaction est un sel de calcium non acide :

a) écrivez et équilibrez l'équation de cette réaction ;
b) combien de moles de tétraoxophosphate de trihydrogène peut-on obtenir au maximum en faisant réagir $1,00 \times 10^2$ mol de chacun des deux réactifs ?
c) quelle masse de bis(tétraoxophosphate) de tricalcium et quelle masse de tétraoxosulfate de dihydrogène sont au minimum nécessaires pour obtenir $1,00 \times 10^2$ mol de tétraoxophosphate de trihydrogène ?
d) quelle masse de tétraoxophosphate de trihydrogène obtient-on lorsqu'on mélange 50,0 kg de bis(tétraoxophosphate) de tricalcium et 50,0 kg de tétraoxosulfate de dihydrogène ?

3.26. On peut dissoudre le trioxyde de dialuminium à l'aide d'une solution aqueuse diluée de tétraoxosulfate de dihydrogène. Mis à part le fait que le nombre de molécules d'eau formé est deux fois plus petit, la réaction est analogue à celle qui se produit lorsqu'on décape les tôles de fer à l'aide du même acide :

a) écrivez et équilibrez l'équation de cette réaction ;
b) combien de moles de trioxyde de dialuminium peut-on dissoudre au maximum avec $1,0 \times 10^3$ mol de tétraoxosulfate de dihydrogène ?

c) quel est le réactif en excès, et quel est cet excès, lorsqu'on fait réagir $1,00 \times 10^2$ kg de chacun des deux réactifs ?

d) on utilise en réalité pour faire cette réaction une solution aqueuse de tétraoxosulfate de dihydrogène contenant 63% en masse de ce dernier ; quelle masse minimale de cette solution aqueuse est nécessaire pour dissoudre $2,00 \times 10^2$ kg de trioxyde de dialuminium ? Quelle masse du produit autre que l'eau obtient-on en même temps ?

3.27. On prépare le silicium en faisant agir, à haute température, le carbone sur le dioxyde de silicium. Sachant que l'autre produit de la réaction est du monoxyde de carbone :

a) écrivez et équilibrez l'équation de la réaction ;

b) quelle masse minimale de dioxyde de silicium est nécessaire pour obtenir $5,00 \times 10^2$ **kg** de silicium ?

c) combien de moles de carbone sont au minimum nécessaires pour obtenir $5,00 \times 10^2$ kg de silicium ?

d) si l'on fait réagir $5,00 \times 10^4$ mol de carbone avec $1,07 \times 10^3$ kg de dioxyde de silicium, quelle masse maximale de silicium obtiendra-t-on ?

3.28. On dispose de 3,126 g d'aluminium et de $1,00 \times 10^2$ cm^3 d'une solution aqueuse de chlorure d'hydrogène de concentration 3,72 mol/dm^3 pour préparer du dihydrogène. Après avoir écrit et équilibré l'équation de la réaction, calculez le nombre maximal de moles de dihydrogène qu'il sera possible d'obtenir.

3.29. Considérons un minerai de fer qui serait constitué d'un mélange de Fe_2O_3 et de Fe_3O_4 et de 35% (en masse) d'impuretés non ferreuses. En supposant que ce minerai contient les deux oxydes de fer dans une proportion de 2 mol de Fe_2O_3 pour 1 mol de Fe_3O_4, calculez :

a) la masse de Fe_2O_3 et la masse de Fe_3O_4 contenues dans 835 kg de minerai ;

b) la masse de fer contenue dans 835 kg de minerai ;

c) le nombre maximal de moles de fer que l'on peut obtenir à partir de $1,0 \times 10^6$ kg de minerai.

3.30. On a fait réagir $9,5 \times 10^3$ kg de tétraoxosulfate de dihydrogène et une masse inconnue de bis(tétraoxophosphate) de tricalcium en vue d'effectuer la réaction correspondant à la préparation des « superphosphates ». Sachant qu'il est resté $2,4 \times 10^4$ mol de bis(tétraoxophosphate) de tricalcium en excès :

a) écrivez et équilibrez l'équation correspondant à cette réaction ;

b) calculez la masse de bis(dihydrogénotétraoxophosphate) de calcium produite ;

c) calculez la masse de bis(tétraoxophosphate) de tricalcium utilisée au départ ;

d) calculez la masse de tétraoxosulfate de dihydrogène qu'il aurait fallu employer pour qu'il ne reste pas de bis(tétraoxophosphate) de tricalcium en excès.

3.31. Le tétrafluorure de xénon et l'hexafluorure de xénon sont décomposés rapidement par l'eau selon les réactions suivantes :

$$6\,XeF_4 + 12\,H_2O \rightarrow 2\,XeO_3 + 4\,Xe + 3\,O_2 + 24\,HF$$
$$XeF_6 + 3\,H_2O \rightarrow XeO_3 + 6\,HF$$

En supposant qu'un mélange formé de 0,10 mol d'hexafluorure de xénon et de 0,20 mol de tétrafluorure de xénon soit décomposé par l'eau (cette dernière se trouvant en excès), combien obtiendrait-on au maximum :

a) de moles de trioxyde de xénon ;

b) de moles de fluorure d'hydrogène ;

c) de moles de xénon ;

d) de moles de dioxygène.

3.32. On considère les deux réactions suivantes utilisées pour préparer le diiode à partir des ions trioxoiodates :

1re étape: $IO_3^- + 3\,SO_2 + 3\,H_2O \rightarrow I^- + 3\,H_2SO_4$

2e étape: $IO_3^- + 5\,I^- + 6\,H_3O^+ \rightarrow 3\,I_2 + 9\,H_2O$

a) combien de moles d'ions trioxoiodate faut-il employer au total (et au minimum) pour obtenir $1,0 \times 10^2$ mol de I_2 ?

b) combien de moles de dioxyde de soufre faut-il employer au minimum lors de la 1re étape pour obtenir finalement $1,0 \times 10^2$ mol de diiode lors de la 2e étape ?

c) en supposant que les ions trioxoiodate sont fournis par du trioxoiodate de sodium, quelle masse maximale de diiode peut-on obtenir à partir de $1,0 \times 10^4$ kg de trioxoiodate de sodium ?

3.33. Quelle est la masse d'aluminium contenue dans $1,0 \times 10^3$ kg de bauxite, sachant que cette dernière renferme 22% en masse d'oxydes autres que Al_2O_3 ?

3.34. La première phase de la préparation de l'aluminium consiste à séparer Al_2O_3 des autres oxydes présents dans la bauxite. Cette première phase s'effectue elle-même en trois étapes correspondant aux trois réactions suivantes :

$$Al_2O_3 + 2\,NaOH + 3\,H_2O \rightarrow 2\,Na[Al(OH)_4]$$

$$Na[Al(OH)_4] \rightarrow Al(OH)_3 + NaOH$$

$$2\,Al(OH)_3 \rightarrow Al_2O_3 + 3\,H_2O$$

Sachant que l'on a traité $5,0 \times 10^3$ kg de bauxite et que l'on a obtenu $4,1 \times 10^3$ kg de trioxyde de dialuminium pur, calculez (en supposant qu'il n'y a eu aucune perte au cours des trois réactions) :

a) le pourcentage en masse de trioxyde de dialuminium contenu dans la bauxite traitée ;
b) le pourcentage en masse d'aluminium contenu dans la bauxite traitée ;
c) le nombre de moles de trioxyde de dialuminium contenu dans les $5,0 \times 10^3$ kg de bauxite traitée ;
d) le nombre de moles d'aluminium contenu dans les $5,0 \times 10^3$ kg de bauxite traitée ;
e) le nombre de moles du composé intermédiaire $Na[Al(OH)_4]$ formé lors du traitement des $5,0 \times 10^3$ kg de bauxite ;
f) le nombre de moles du composé intermédiaire $Al(OH)_3$ formé lors du traitement des $5,0 \times 10^3$ kg de bauxite ;
g) le nombre de moles de NaOH qui serait théoriquement consommé à la suite du traitement des $5,0 \times 10^3$ kg de bauxite, en supposant qu'il n'y a aucune perte, et que seules les trois réactions précédentes se produisent.

3.35. On peut obtenir le chrome en réduisant le trioxyde de dichrome à l'aide de l'aluminium :

a) écrivez et équilibrez l'équation de la réaction ;
b) sachant que l'on a obtenu 0,0513 g de chrome à partir d'un échantillon de 0,257 g, quel pourcentage en masse de trioxyde de dichrome cet échantillon contenait-il ?

3.36. À l'aide des données fournies au premier chapitre, calculez :

a) la masse de méthanol nécessaire pour obtenir autant d'énergie qu'il s'en dégage lors de la combustion de $1,0 \times 10^3$ kg de dihydrogène ;
b) le nombre de moles de butane nécessaire pour obtenir autant d'énergie qu'il s'en dégage lors de la combustion de $1,0 \times 10^3$ kg de dihydrogène.

3.37. On considère une réaction de combustion incomplète de l'heptane C_7H_{16}. Sachant qu'il se dégage $8,98 \times 10^3$ mol de monoxyde de carbone lors de la combustion de $3,00 \times 10^2$ kg d'heptane, écrivez et équilibrez l'équation de cette combustion.

RÉPONSES

1.1. numéro atomique   **1.2.** période

1.3. groupe ou famille chimique   **1.4.** cation

1.5. anion   **1.6.** Rutherford

1.7. Alfred Nobel   **1.8.** une association d'atomes

1.9. un réarrangement d'atomes   **1.10.** radioactivité

1.11. la somme du nombre de protons et du nombre de neutrons

1.12. ils possèdent le même nombre de protons

1.13. Dalton   **1.14.** spectrographe de masse

1.15. anions   **1.16.** composition isotopique

1.17. $^{12}C = 12,0000$ **1.18.** Lavoisier

1.19. ils ont une composition invariable

1.20. cathode

1.21. ils ne possèdent qu'un seul isotope stable

1.22. le positron et le radioactivité artificielle

1.23. des atomes d'un même élément ayant des nombres de neutrons différents

1.24. une substance constituée d'un seul élément

1.25. l'ensemble des matières carbonées que produisent les êtres vivants

1.26. des volumes égaux de deux gaz quelconques pris dans les mêmes conditions contiennent le même nombre de particules. Ces particules ne sont pas nécessairement des atomes, mais peuvent être des associations d'atomes, c'est-à-dire des molécules

1.27. élément apte à libérer des électrons

1.28. noyaux d'hélium (α), électrons (β^-), positrons (β^+)

1.29. toutes possèdent 10 électrons

1.30. $-1,60 \times 10^{-19}C$ **1.31.** $6,022 \times 10^{23}$ mol^{-1}

1.32. 15   **1.33.** 11

1.34. 50   **1.35.** $-9,64 \times 10^4$ C

1.36. 1,007 g

1.37. ^{231}Pa, ^{232}Th, ^{235}U, ^{235}Pa, ^{239}Pu, ^{238}U

1.38. ^{206}Pb **1.39.** ^{60}Ni

1.40. ^{15}N

1.41. radioactifs β^- : ^{20}F, ^{21}F, ^{22}F, ^{23}F ; radioactifs β^+ : ^{16}F, ^{17}F, ^{18}F

1.42. a) $_{-1}^{0}e$ b) $_{2}^{4}He$ c) $_{+1}^{0}e$ d) $_{3}^{7}Li$ e) $_{17}^{38}Cl$

1.43. a) F   b) V   c) V   d) V   e) F   f) V   g) F   h) V

1.44. a) V   b) F   c) V   d) V   e) F   f) V   g) V   h) V

1.45.
a) $2 C_6H_5NH_2 + \frac{33}{2} O_2 \rightarrow 12 CO_2 + 7 H_2O + 2 NO$

b) $2 CH_3(CH_2)_{16}COONa + Mg^{2+} \rightarrow [CH_3(CH_2)_{16}COO]_2Mg + 2 Na^+$

c) $Al_2O_3 + 2 NaOH + 3 H_2O \rightarrow 2 Na[Al(OH)_4]$

d) $C_2H_5OH + 3 O_2 \rightarrow 2 CO_2 + 3 H_2O$

e) $IO_3^- + 3 SO_2 + 3 H_2O \rightarrow I^- + 3 H_2SO_4$

f) $XeF_6 + 3 H_2O \rightarrow XeO_3 + 6 HF$

g) $2 Ca_3(PO_4)_2 + 6 SiO_2 + 10 C \rightarrow P_4 + 6 CaSiO_3 + 10 CO$

h) $As_2S_3 + 3 S_2^{2-} \rightarrow 2 AsS_4^{3-} + S$

i) $2 Fe(OH)_2 + \frac{1}{2} O_2 + H_2O \rightarrow 2 Fe(OH)_3$

1.46. a), d), e), f)

1.47. a) HNO_3 b) N_2 c) $KClO_3$ d) $C_3H_5N_3O_9$ e) NO, NO_2 f) $C_{18}H_{34}$ g) CH_3OH h) CO i) C_2H_5OH, HNO_3, NO, NO_2, $C_3H_5N_3O_9$, $KClO_3$, CH_3OH, CO, $C_{18}H_{34}$

1.48.
a) $C_8H_{18} + \frac{25}{2} O_2 \rightarrow 8 CO_2 + 9 H_2O$

b) $C_8H_{18} + \frac{19}{2} O_2 \rightarrow 2 CO_2 + 6 CO + 9 H_2O$

c) $C_3H_7OH + \frac{9}{2} O_2 \rightarrow 3 CO_2 + 4 H_2O$

d) $C_6H_{12}O_6 + 6 O_2 \rightarrow 6 CO_2 + 6 H_2O$

e) $Ca + \frac{1}{2} O_2 \rightarrow CaO$

f) $3 Mn_3O_4 + 8 Al \rightarrow 4 Al_2O_3 + 9 Mn$

g) $MoO_3 + 3 H_2 \rightarrow Mo + 3 H_2O$

1.49. $2,4 \times 10^3$ kg   **1.50.** $1,0 \times 10^2$ kg

1.51. a) $4,923 \times 10^{-2}$ mol b) $7,382 \times 10^{-2}$ mol c) $1,499$
d) Cr_2O_3

1.52. Cu_2S **1.53.** 82

1.54. C_5H_8

1.55. a) 19,97%   b) 26,47%   c) 26,93%

1.56. 28,0855   **1.57.** 36,96699

1.58. 69,2% de ^{63}Cu et 30,8% de ^{65}Cu

1.59. e)

1.60. a) $1,06 \times 10^{25}$ molécules b) $8,47 \times 10^{25}$ atomes

1.61. a) 13 mol   b) $7,6 \times 10^{-1}$ mol
c) $4,9 \times 10^{-2}$ mol   d) $5,8 \times 10^2$ mol

1.62. a) $1,3 \times 10^{25}$ électrons   b) $2,01 \times 10^{26}$ électrons
c) $1,2 \times 10^{23}$ électrons

1.63. a) 6 mol   b) $2,09 \times 10^5$ mol

1.64. a) 0,97 g   b) $4,23 \times 10^{22}$ molécules
c) $3,30 \times 10^{23}$ atomes

1.65. a) $1,59 \times 10^{-22}$ g   b) $1,5 \times 10^{-4}$ g   c) 335 g

1.66. a) BrO_4^- : $+7$ b) $MgBr_2$: -1

1.67. $+2$

1.68. $+6, +4, -2, 0, +6, +4, -2, +2, +6, +7$

1.69. a) 1, 4, 5   b) 2, 6, 8   c) 3,7
d) plutôt faible   e) plutôt élevé

1.70. a) NH_3, N_2H_4, N_2O, NO, $NaNO_2$, N_2O_4, HNO_3
b) HNO_3 c) NH_3

2.1.

a) monoxyde d'azote
dioxyde de soufre
hexaoxyde de dichlore
monoxyde de carbone
monoxyde de dipotassium
tétraoxyde de trifer
trioxyde de chrome
monoxyde de manganèse
tétrachlorure de vanadium
monoxyde de dicuivre
dichlorure de cuivre
tétraoxyde
  de trimanganèse

tétrahydrure de silicium
dioxyde de silicium
pentaoxyde de diiode
trioxyde de difer
trichlorure de chrome
dihydrure de calcium
trioxyde de dialuminium
dioxyde de titane
dichlorure
  de magnésium
chlorure d'argent
monoxyde de zinc
trioxyde de diazote

b) oxyde d'azote (II)
oxyde de soufre (IV)
oxyde de chlore (VI)
oxyde de carbone (II)
oxyde de potassium (I)
oxyde de fer ($+\frac{8}{3}$)
oxyde de chrome (VI)
oxyde de manganèse (II)
chlorure de vanadium (IV)
oxyde de cuivre (I)
chlorure de cuivre (II)
oxyde de manganèse ($+\frac{8}{3}$)

hydrure de silicium (IV)
oxyde de silicium (IV)
oxyde d'iode (V)
oxyde de fer (III)
chlorure de chrome (III)
hydrure de calcium (II)
oxyde d'aluminium (III)
oxyde de titane (IV)
chlorure de magnésium (II)
chlorure d'argent (I)
oxyde de zinc (II)
oxyde d'azote (III)

2.2. ion sodium ; ion fluorure ; ion calcium ; ion fer (II);
ion bromure ; ion lithium ; ion fer (III); ion hydrure ;
ion baryum ; ion sulfure ; ion cobalt (II)

2.3. ion trioxobromate ($+5$)
ion trioxonitrate ($+5$)
ion hydrogénotrioxocarbonate ($+4$)
ion tétraoxomanganate ($+7$)
ion tétraoxochromate ($+6$)
ion octaoxodisulfate ($+7$)
ion hydrogénoheptaoxodiphosphate ($+5$)
ion heptaoxodichromate ($+6$)
ion hydrogénotrioxosulfate ($+4$)
ion hydrogénotétraoxophosphate ($+5$)
ion tétraoxoiodate ($+7$)
ion hexachloromanganate ($+2$)
ion hexachloroplatinate ($+4$)

2.4. a) PO_4^{3-} b) NO_3^- c) CO_3^{2-}
d) SO_4^{2-} e) $S_2O_7^{2-}$ f) $H_2PO_4^-$
g) IO_3^- h) BrO^- i) ClO_4^-
j) $H_3P_3O_{10}^{2-}$ k) $S_4O_6^{2-}$ l) $[AuCl_4]^-$
m) $[Ag(CN)_2]^-$ n) $[CoCl_4]^{2-}$ o) $HS_2O_5^-$

2.5. a) trioxocarbonate de disodium
b) dibromure de calcium

c) bis(tétraoxophosphate) de trimagnésium
d) tétraoxosulfate de dipotassium
e) bis(trioxonitrate) de baryum
f) dihydroxyde de calcium
g) tétraoxophosphate d'aluminium
h) tris(trioxonitrate) de fer
i) sulfure de diammonium
j) cyanure de sodium
k) heptaoxodichromate de dipotassium
l) tétraoxomanganate de potassium
m) chlorure d'ammonium
n) tris(tétraoxodichromate) de difer
o) tétraoxosulfate de diammonium

2.6.
a) tétraoxosulfate de dihydrogène
b) cyanure d'hydrogène
c) dihydrogénotétraoxophosphate de potassium
d) fluorure d'hydrogène
e) hydrogénosulfure de lithium
f) cyanure d'ammonium
g) bis(hydrogénotétraoxosulfate) de baryum
h) sulfure de dihydrogène
i) hydrogénotrioxocarbonate de sodium
j) tris(hydrogénotétraoxophosphate) de dialuminium
k) dihydrure de magnésium
l) tétraoxophosphate de trihydrogène
m) hydrogénotétraoxosulfate de lithium
n) dioxonitrate d'hydrogène
o) hydrogénotétraoxophosphate de calcium
p) hydrogénotrioxosulfate de potassium

2.7.
a) Ca^{2+} b) N_2O_5 c) IF_7
d) S^{2-} e) NH_4Cl f) CaC_2
g) HPO_4^{2-} h) $NaBH_4$ i) CN^-
j) Bi_2O_3 k) NH_4^+ l) As_4O_6
m) $Cr_2O_4^{2-}$ n) $Ca(ClO)_2$ o) NH_4NO_3
p) $Si_3O_8^{4-}$ q) $Pb_3(AsO_4)_2$ r) $K_2[Be(OH)_4]$
s) Mn_3O_4 t) $Ca(H_2PO_4)_2$

2.8.
a) ion magnésium
b) ion hydroxyde
c) tétrafluorure de xénon
d) trihydroxyde de fer
e) ion oxonium
f) ion hydrogénotrioxocarbonate (IV)
g) dicyanure de baryum
h) hydrogénotétraoxosulfate d'ammonium
i) ion bromure
j) ion aluminium
k) dinitrure de trimagnésium
l) heptaoxodiphosphate de tétrasodium
m) ion trioxotitanate (+ 4)
n) ion hexacyanomanganate (+ 2)
o) heptaoxodisulfate de dihydrogène
p) ion décaoxotriphosphate (+ 5)
q) tris(dihydrogénotétraoxophosphate) d'aluminium
r) ion hydrogénosulfure
s) pentahydrure de phosphore
t) trioxosilicate de disodium

3.1. Mg^{2+}, Ca^{2+}, Fe^{2+}, Fe^{3+} **3.2.** réfractaires

3.3. HNO_3 et H_2SO_4 **3.4.** fer galvanisé

3.5. N, P, K   **3.6.** hauts fourneaux

3.7. $CaCO_3$ et $MgCO_3$ **3.8.** $CaCO_3$ et $MgCO_3$

3.9. fer-blanc

3.10. oléum ou acide sulfurique fumant

3.11. coefficient stœchiométrique   **3.12.** a)

3.13.
a) Na_2CO_3 b) V_2O_5
c) NH_3, $NH_4H_2PO_4$, $Ca(H_2PO_4)_2$
d) SO_2 e) $Ca_3(PO_4)_2$ f) NO, NO_2

3.14. a) F   b) V   c) V   d) F   e) V

3.15. a) 6   b) 5   c) 8   d) 7   e) 2   f) 4

3.16.
a) $CaCO_3 + 2 CH_3COOH \rightarrow$
$$(CH_3COO)_2Ca + CO_2 + H_2O$$
b) $Zn + 2 HCl \rightarrow ZnCl_2 + H_2$
c) $2 NaOH + CO_2 \rightarrow Na_2CO_3 + H_2O$
d) $2 Fe(OH)_3 + 3 H_2SO_4 \rightarrow Fe_2(SO_4)_3 + 6 H_2O$
e) $SO_3 + H_2O \rightarrow H_2SO_4$

3.17.
a) $CaCO_3 + 2 HNO_3 \rightarrow$
$$Ca(NO_3)_2 + CO_2 + H_2O$$
b) $4 FeS_2 + 11 O_2 \rightarrow 2 Fe_2O_3 + 8 SO_2$
c) $N_2 + 3 H_2 \rightarrow 2 NH_3$
d) $CaCO_3 + 2 HCl \rightarrow CaCl_2 + CO_2 + H_2O$
e) $SO_2 + \frac{1}{2} O_2 \rightarrow SO_3$

3.18.
$$2 NH_3 + \frac{5}{2} O_2 \rightarrow 2 NO + 3 H_2O$$
$$NO + \frac{1}{2} O_2 \rightarrow NO_2$$
$$3 NO_2 + H_2O \rightarrow 2 HNO_3 + NO$$

3.19. a) $3\,Fe + 4\,H_2O \longrightarrow Fe_3O_4 + 4\,H_2$
b) $5,97 \times 10^5$ mol

3.20. a) $NaOH + HBr \longrightarrow NaBr + H_2O$
b) $7,65 \times 10^{-2}$ mol/dm³ c) $2,90 \times 10^{-2}$ mol/dm³

3.21. a) $HNO_3 + NaOH \longrightarrow NaNO_3 + H_2O$
b) $2,03 \times 10^{-2}$ mol   c) $2,03 \times 10^{-2}$ mol
d) $24,5$ cm³   e) $1,73$ g

3.22. a) CaF_2 b) $2,86 \times 10^3$ mol

3.23.
$$C_3H_8 + \frac{3}{2}\,O_2 \longrightarrow 3\,CO + 4\,H_2$$
b) $25,0$ mol   c) $9,07 \times 10^3$ mol
d) $6,40 \times 10^2$ g   e) propane : $10,3$ kg

3.24. a) $C_2H_6 + 4\,H_2O \longrightarrow 7\,H_2 + 2\,CO_2$
b) $7,1 \times 10^3$ mol d'éthane et $2,8 \times 10^4$ mol de
vapeur d'eau
c) $2,3 \times 10^4$ mol

3.25. a) $3\,H_2SO_4 + Ca_3(PO_4)_2 \longrightarrow$
$$2\,H_3PO_4 + 3\,CaSO_4$$
b) $66,7$ mol
c) $15,5$ kg de $Ca_3(PO_4)_2$ et $14,7$ kg de H_2SO_4
d) $31,6$ kg

3.26. a) $Al_2O_3 + 3\,H_2SO_4 \longrightarrow Al_2(SO_4)_3 + 3\,H_2O$
b) $3,3 \times 10^2$ mol   c) Al_2O_3 : 65 kg en excès
d) $9,2 \times 10^2$ kg ; $6,71 \times 10^2$ kg de $Al_2(SO_4)_3$

3.27. a) $SiO_2 + 2\,C \longrightarrow Si + 2\,CO$
b) $1,07 \times 10^3$ kg   c) $3,56 \times 10^4$ mol
d) $5,00 \times 10^2$ kg

3.28. $0,17$ mol

3.29. a) $3,1 \times 10^2$ kg de Fe_2O_3 et
$2,3 \times 10^2$ kg de Fe_3O_4
b) $3,9 \times 10^2$ kg de Fe   c) $8,2 \times 10^6$ mol de Fe

3.30. a) $2\,H_2SO_4 + Ca_3(PO_4)_2 \longrightarrow$
$$Ca(H_2PO_4)_2 + 2\,CaSO_4$$
b) $1,1 \times 10^4$ kg c) $2,2 \times 10^4$ kg d) $1,5 \times 10^4$ kg

3.31. a) $0,17$ mol   b) $1,40$ mol
c) $0,13$ mol   d) $0,10$ mol

3.32. a) $2,0 \times 10^2$ mol b) $5,0 \times 10^2$ mol
c) $6,4 \times 10^3$ kg

3.33. $4,1 \times 10^2$ kg

3.34. a) 82%   b) 43%   c) $4,0 \times 10^4$ mol
d) $8,0 \times 10^4$ mol   e) $8,0 \times 10^4$ mol
f) $8,0 \times 10^4$ mol   g) 0 mol

3.35. a) $Cr_2O_3 + 2\,Al \longrightarrow 2\,Cr + Al_2O_3$
b) 29,2%

3.36. a) $7,1 \times 10^3$ kg   b) $5,3 \times 10^4$ mol

3.37. $2\,C_7H_{16} + 19\,O_2 \longrightarrow 6\,CO + 8\,CO_2 + 16\,H_2O$

Bibliographie

De BROGLIE, L.V., *Les atomes*, Paris, Laffont/Grammont, 1975.

LAFFITTE, Marc, *Cours de chimie minérale*, Paris, Gauthier-Villars/ Dunod, 1967.

LEE, J.D., *Précis de chimie minérale* (trad.), Paris, Dunod, 1973.

MATHIEU, Jean-Paul, *Histoire de la constante d'Avogadro*, Paris, Centre national de la recherche scientifique, 1983.

Nomenclature of Inorganic Chemistry, Definitive Rules 1970, 2e ed., London, Butterwords, 1971.

PERRIN, Jean, *Les atomes* (3e éd.), Paris, P.U.F., 1970.

TOURNIER, M., *Les familles chimiques*, Montréal, C.E.C., 1980.

WAHL, Henri, *Éléments de chimie minérale*, Paris, Masson, 1973.

INDEX

74

QUELQUES UNITÉS SI DÉRIVÉES DES UNITÉS DE BASE
ET DÉSIGNÉES PAR DES NOMS SPÉCIAUX

Grandeur	Nom	Symbole	Expression en d'autres unités	Expression en unités de base
fréquence	hertz	Hz		s^{-1}
force	newton	N		$m \cdot kg \cdot s^{-2}$
pression	pascal	Pa	N/m^2	$m^{-1} \cdot kg \cdot s^{-2}$
énergie	joule	J	$N \cdot m$	$m^2 \cdot kg \cdot s^{-2}$
puissance	watt	W	J/s	$m^2 \cdot kg \cdot s^{-3}$
charge électrique	coulomb	C		$s \cdot A$
différence de potentiel	volt	V	W/A	$m^2 \cdot kg \cdot s^{-3} \cdot A^{-1}$

QUELQUES FACTEURS DE CONVERSION

$1\ l\ =\ 1\ dm^3$

$1\ \text{Å}\ =\ 10^{-10}\ m\ =\ 0,1\ nm$

$1\ atm\ =\ 101,325\ kPa$

$1\ mmHg\ (0°C)\ =\ 133,322\ Pa$

$0°C\ =\ 273,15\ K$

$1\ cal\ =\ 4,1868\ J$

$1\ eV\ =\ 1,602 \times 10^{-19}\ J$

$1\ eV/\text{entité}\ =\ 96,49\ kJ/mol$

UNITÉS DE BASE SI

Grandeur	Nom de l'unité	Symbole
longueur	mètre	m
masse	kilogramme	kg
temps	seconde	s
intensité de courant électrique	ampère	A
température thermodynamique	kelvin	K
quantité de matière	mole	mol
intensité lumineuse	candela	cd

PRÉFIXES SI

Facteur par lequel l'unité est multipliée	Préfixe	Symbole
$1\,000\,000\,000\,000 = 10^{12}$	téra	T
$1\,000\,000\,000 = 10^{9}$	giga	G
$1\,000\,000 = 10^{6}$	méga	M
$1\,000 = 10^{3}$	kilo	k
$100 = 10^{2}$	hecto	h
$10 = 10^{1}$	déca	da
$0,1 = 10^{-1}$	déci	d
$0,01 = 10^{-2}$	centi	c
$0,001 = 10^{-3}$	milli	m
$0,000\,001 = 10^{-6}$	micro	μ
$0,000\,000\,001 = 10^{-9}$	nano	n
$0,000\,000\,000\,001 = 10^{-12}$	pico	p
$0,000\,000\,000\,000\,001 = 10^{-15}$	femto	f
$0,000\,000\,000\,000\,000\,001 = 10^{-18}$	atto	a